RIGHT BEHIND YOU

Always and always and always for Jim Giles and Josh Jakubik, my heroes. – G.G.

Gail Giles

Right Behind You

Kun je het verleden achter je laten?

Vertaald door Tjalling Bos

Lemniscaat 8 Rotterdam

De vertaler ontving voor deze vertaling een werkbeurs
van de Stichting Fonds voor de Letteren

© Nederlandse vertaling Tjalling Bos 2008
Omslag: Marleen Verhulst
Nederlandse rechten Lemniscaat b.v. Rotterdam 2008
ISBN 978 90 477 0099 9
Copyright © 2007 by Gail Giles
Oorspronkelijke titel: *Right Behind You*
First published 2007 by Little, Brown and Company, Hachette Book Group USA,
237 Park Avenue, New York, NY 10017, U.S.A.

Druk en bindwerk: C. Haasbeek b.v., Alphen aan den Rijn

*Dit boek is gedrukt op milieuvriendelijk, chloorvrij gebleekt en verouderings-
bestendig papier en geproduceerd in de Benelux waardoor onnodig milieuveront-
reinigend transport is vermeden.*

Kletsnat van de regen stond hij voor me. Het water stroomde over zijn gezicht, in zijn ogen en zijn mond, maar hij probeerde niet eens om het weg te vegen.

Hij hield iets in zijn armen dat in een olijfgroene poncho was gewikkeld.

'Er zijn drie dingen die je over mij moet weten,' zei hij.

'Eén: je kent mijn echte naam niet.

Twee: ik heb vroeger iemand vermoord.

Drie... nou ja, misschien ga je het hierdoor begrijpen.'

Hij duwde de poncho in mijn handen. 'Lees dit alsjeblieft. Helemaal. Beloof dat je het zult doen.'

Zijn echte naam?

Vermoord?

'Sam, beloof je dat je het zult lezen?'

Ik knikte. Zonder erbij na te denken.

Toen was hij weg. De trap af, de duisternis en de regen in.

DEEL I

Alaska

Op de middag van zijn zevende verjaardag heb ik Bobby Clarke in
brand gestoken.

Ik was negen.

Het ging om Bobby's verjaarscadeau.

Een honkbalhandschoen.

Veel mensen zijn verbaasd als ze horen dat het in het binnenland van Alaska in de zomer wel 35 graden kan worden. En juli is de tijd van de bosbranden. Maar het was een windstille dag, dus besloot pa het onkruid bij ons houten huis een beetje op te ruimen door het in brand te steken. Hij had het uit de hand laten lopen terwijl ma ziek was.

Er was zoveel uit de hand gelopen terwijl ma ziek was.

Ik.

Pa.

Tante Jemma.

We woonden kilometers van een echte stad of zelfs maar een weg die meer was dan een halfverhard pad vol kuilen.

Pa goot alle benzine uit de grasmaaier in een blik.

'Waarom gaan we niet gewoon benzine kopen?'

'Niet zeuren, Kip. Er is vanochtend geen wind. Het duurt meer dan een uur voor we bij een benzinestation zijn. Als de wind opsteekt terwijl wij naar de stad gaan, kunnen we het afbranden vergeten. We redden ons wel.' Pa gaf me het blik.

'Hier, giet dit in de emmer buiten. Pas op dat je niets op je kleren krijgt. Schiet op. Ik moet de sneeuwruimer en de generator nog aftappen.'

Was het niet ontzettend stom om een warme dag nog warmer te maken door een vuur aan te steken? Het zat me tot hier om altijd zo hard te moeten werken. En ik had er schoon genoeg van om 'me te moeten redden' zoals iedereen in Alaska. Om arm te zijn. Om pa's bevelen op te volgen. Ik gaf de grasmaaier een schop die pijn deed aan mijn tenen.

Pa lachte. 'Je bent boos op mij, je geeft het wiel een schop, ik voel er niets van, het wiel kan het niet schelen, en jij bent de enige die er last van heeft. Wat schiet je daarmee op, Kip?'

Toen ik het laatste blik benzine in de emmer goot, kwam pa de schuur uit.

'Ik heb geen zin om de hele dag te ruziën, Kip. Doe normaal.'

'Ik heb hoofdpijn.'

'Je hebt altijd hoofdpijn als er gewerkt moet worden.'

Pa zette zijn 'doe-wat-ik-zeg' stem op. 'Je moet hard worden als je hier wilt wonen. Het wordt niet voor niks de laatste wildernis...'

Ik luisterde al niet meer. Ik had die preek over hard werken al duizend keer gehoord, en ik kreeg bijna zin om de benzine tegen het huis te gooien zodat we niet meer in de wildernis hoefden te wonen.

Hij zweeg toen we een auto hoorden en stof zagen opwaaien boven onze hobbelige oprit.

'Ik geloof dat het tante Jemma is,' zei ik.

Pa's gezicht verstrakte en ik zag zijn gespannen kaakspieren. 'Ze komt weer ruziemaken,' zei hij. 'Waarom laat dat mens me niet met rust?'

De huurauto van tante Jemma kwam met een ruk tot stilstand voor ons huis. Ze stapte uit en smeet de deur dicht. Daarna liep ze naar de achterkant van de auto, maakte de kofferbak open en begon dozen uit te laden.

'Wat is dat nou weer, verdomme?'

Pa fluisterde zo'n beetje in zichzelf, en hij klonk alsof hij zin had om tante Jemma en haar auto ons pad af te schoppen.

'Blijf hier en ruim de schuur voor me op, Kip.'

Hij legde zijn aansteker met een klap op de motorkap van onze pick-up en liep naar tante Jemma toe. Ze hadden al ruzie voor ze bij de veranda waren. Natuurlijk weer over mij.

Mijn moeder was in april gestorven en sindsdien had tante Jemma aan één stuk door tegen pa lopen drammen dat ze me mee terug wilde nemen naar de 'beschaving'.

Ikzelf had genoeg van de manier van leven in Alaska, maar ik wist niet zeker of ik ook genoeg had van Alaska zelf. De beschaving van tante Jemma klonk als een heleboel regels. Ik zou weg moeten van de plek waar ik al die herinneringen aan ma had. Ik zou weg moeten van pa, en dat wilde ik echt niet, ook al werd ik gek van hem.

Van het geruzie van tante Jemma en pa kreeg ik koppijn. Het herinnerde me aan… de andere ruzies. Van pa en ma. Ik dacht altijd dat die ook mijn schuld waren.

Ik kon hun stemmen horen. Als hagel op het roestige dak van ons huis. Steeds harder, sneller en feller.

'Stijfkop!'

'… mijn zoon!'

'… een advocaat!'

'Over mijn lijk!'

'Ze is gestorven omdat ze geen goede medische hulp kon krijgen hier in dit…'

Het holle gevoel binnen in me maakte plaats voor razernij. Ik mepte met een sneeuwschop tegen de wand van de schuur om hun lawaai te overstemmen. Maar er werd in huis zo hard geschreeuwd dat ik tussen de klappen van metaal op hout toch telkens woorden hoorde.

En toen kwam Bobby Clarke naar de deur van de schuur toe hollen.

'Kip, ben je daar? Kom naar buiten. Ik wil je iets laten zien.'

'Ik heb het druk. Ik moet de schuur opruimen van mijn vader. Ga naar huis.'

'Kom eens kijken naar mijn verjaarscadeau. Zo'n mooie honkbalhandschoen heeft nog nooit iemand gehad.'

Ik liep de schuur uit om het rotjoch weg te jagen. Bobby zwaaide de handschoen vlak voor mijn neus. 'Van pappa heb ik een fiets gehad, maar ik kan er nog niet op rijden. Deze is van mamma. Nu word ik de beste van het hele team, zei ze.'

De handschoen was prachtig – het leer had de kleur van bladeren als ze net op de grond zijn gevallen. En hij zat aan de hand van Bobby Clarke.

'Jij wordt nooit een goede honkballer,' zei ik. 'Je kunt niet vangen, al was je handschoen twee keer zo groot.'

'Je bent gewoon boos omdat je zelf te arm bent om een handschoen te hebben.' Hij wuifde weer treiterig met de handschoen. 'Je hebt niet eens een mamma die je een handschoen kan geven.' Hij duwde de handschoen onder mijn neus en trok hem toen met een ruk weg.

Ik keek woedend naar het verjaarscadeau van zijn moeder.

Mijn hoofd bonsde en de stemmen in huis klonken nog harder.

Bobby hield de handschoen weer voor mijn gezicht.

Ik wilde hem vernielen. De handschoen vernielen. Het verjaarscadeau.

Ik greep de emmer en smeet de benzine op de handschoen. Het klotste over zijn armen en zijn bloes en droop omlaag langs zijn broek. Er spetterde zelfs benzine in zijn gezicht.

Ik geloof niet dat hij wist wat ik over hem heen gooide. Hij spuugde en schold terwijl hij de handschoen uittrok. Hij hield hem tegen zijn borst.

Toen had ik de aansteker al in mijn hand.

Ik klapte hem open.

Gaf een draai aan het wieltje.

En toen ik het blauwe vlammetje zag...

gooide ik de aansteker naar de honkbalhandschoen die hij had gekregen.

Ik gooide hem naar Bobby Clarke.

Van wat er daarna gebeurde herinner ik me niets. Ik weet wat mijn vader me heeft verteld. Ik weet wat de artsen me hebben verteld. En ik heb de kranten gelezen.

Maar er zit een groot gat in mijn leven. Het begint op het moment dat Bobby in brand vloog. Mijn vader zegt dat hij gegil hoorde. Van Bobby en mij. Zijn ruzie met tante Jemma was meteen afgelopen toen hij uit het raam keek en een brandend kind zag kronkelen van de pijn, terwijl een ander kind verstijfd stond te krijsen. Hij zegt dat hij zich nog steeds schaamt omdat zijn eerste reactie opluchting was, toen hij zag dat ik de verstijfde krijser was.

Hij wierp Bobby op de grond. Scheurde zijn eigen shirt van zijn lijf en wikkelde het rond Bobby, zodat hij zelf zijn armen brandde. Mijn tante belde het alarmnummer al.

Kilometers van de stad.

Een onverharde weg vol kuilen.

Het duurde lang voor de ziekenwagen bij ons huis was. Het duurde lang voor de ziekenwagen op een plek was waar de reddingshelikopter kon landen. Het duurde lang om naar Anchorage te vliegen.

Bobby leefde nog drie dagen.

Toen iemand eraan dacht om mij te gaan zoeken, lag ik in foetushouding onder onze pick-up. Pa trok me eronder vandaan. Hij zegt dat mijn gezicht betraand was, maar ik huilde niet meer. Mijn ogen waren open, maar zagen niets.

Vier maanden lang zei ik geen woord.

Vanwege mijn leeftijd en mijn psychische toestand was opname in een psychiatrische inrichting de enige mogelijkheid.

Wekenlang wist ik toch niet waar ik was.

Pa verhuisde naar Anchorage, waar ik opgesloten zat. Ergens tussen zijn papieren heeft hij stapels juridische documenten over mijn zaak. Hij heeft me niet veel verteld over de therapie die me uit mijn bijna-catatonische toestand haalde. Het duurde vijf weken voor ik reageerde. Vijf.

Pa kwam mijn kamer binnen, en eindelijk knipperde ik met mijn ogen en richtte ze traag op zijn gezicht.

'Hé, Kipper, ben je er weer?'

Pa zegt dat ik mijn ogen sloot, en dat er tranen over mijn wangen liepen. Hij wist niet of hij me moest omhelzen of beter de dokter kon roepen. Hij koos voor de omhelzing.

Ik kreeg therapie. Speltherapie. Poppentherapie. Schildertherapie. Ik deed alles wat ze me vroegen. Ik slikte pillen; ik maakte tekeningen; ik keek naar de boeken; ik luisterde; maar ik zei niets.

Ik wist niet wat ik moest zeggen.

Er waren juridische redenen om me in de inrichting te houden. Voordat ik losgelaten kon worden, moesten de artsen zeggen dat ze begrepen wat ik had gedaan. Dat ik het zelf begreep. Een rechter moest zeggen dat ik geen gevaar opleverde voor mezelf of anderen. En als ik niet praatte, zou dat niet gebeuren.

Ik werd tien.

Tien.

Ik had op scouting moeten zitten.

Ik woog dertig kilo.

Er zat een kies bij me los.

Ik had een ander kind vermoord.

Het eerste dat ik zei, was: 'Wile E. Coyote.'

Het was bijna halverwege mijn uur niet-praten met de Frons. De psychiater had slap donker haar, een voorhoofd vol rimpels, en een loerende blik achter zijn bril met metalen randen. Met opgerolde mouwen, en met zijn tennisschoenen op zijn bureau, las hij tijdschriften over zeilen terwijl ik zat te zwijgen – ik denk om me te laten merken dat hij alle tijd van de wereld had.

Die dag had ik alle zuurtjes uit de plastic bak gehaald en op kleur gesorteerd.

'Ik krijg ook betaald als je niets zegt,' zei hij.

Ik legde een rode bij de andere rode.

'Het is maar dat je het weet.'

De Frons stak zijn hand in de onderste la en haalde een schuimrubber bal tevoorschijn. Met een boog gooide hij hem door een kleine ring die was vastgemaakt aan de deur van zijn kast. De bal zag eruit als een basketbal, maar was veel kleiner, ongeveer zo groot als die zwarte bommetjes in tekenfilms van...

'Wile E. Coyote.'

Ik verbaasde me over mijn eigen stem. Hij klonk roestig. Zoals de ramen van ons huis als we ze in de lente voor het eerst opendeden.

Als de Frons verbaasd was nu hij me na maanden zwijgen voor het eerst hoorde, liet hij dat niet merken. Hij gooide de bal weer. En miste. 'Uit de tekenfilms?'

'Ja.'

De Frons legde de bal neer, maar zijn voeten bleven op het bureau. 'Hij is leuk. De coyote. Maar alles wat hij doet gaat verkeerd.'

Ik legde een groen zuurtje bij de gele. Keek naar de Frons.

Wachtte of hij de hint oppikte. Het klopte niet.

Maar hij keek me aan en wachtte. Ik veegde de zuurtjes bij el-kaar en smeet ze terug in de bak. Ik had zin om de hele bak met zuurtjes naar zijn hoofd te gooien omdat hij zo stom was. In plaats daarvan stak ik mijn handen onder mijn dijen.

Bij ons volgende gesprek sorteerde ik de zuurtjes weer, en de Frons tikte met een potlood op een blocnote.

'Dat van die coyote – uit de tekenfilms. Had ik dat fout?'

'Wile E. Coyote,' zei ik.

'Ja. Je zei zijn naam niet omdat alles wat hij doet verkeerd gaat. Er is een andere reden waarom je aan hem dacht.'

Ik stopte even met sorteren en keek naar hem op. 'Het is niet omdat bij hem alles verkeerd gaat.' Ik legde nog een paar zuurtjes op hun plaats. 'Ik weet niet waarom. Niet zeker.'

'Doe eens een gooi, Kip. Hier zijn geen goede of foute antwoor-den.'

In gedachten keek ik naar de tekenfilms. De roadrunner met poten die zo snel gaan dat ze op een wazig wiel lijken. De coyote die over de rand van een klif rent en nog even in de lucht trappelt voordat hij in de afgrond stort. Opeens zag ik het weer. Het plaatje dat ik nodig had. 'Het gaat om de bom.'

De Frons hield op met tikken. 'Als hij zo'n ronde bom met een lont vasthoudt?'

Mijn keel zat dicht, maar ik perste de woorden erdoor. 'Ja. De lont brandt op en de handschoen ontploft en dan zie je de coyote en de rook komt van hem af en zijn vacht is helemaal verbrand en zijn ogen zijn heel groot. Maar iedereen lacht want even later zit hij toch weer achter de roadrunner aan en is zijn vacht weer gewoon.'

'De handschoen ontploft?'

'Wat?' Wie van ons was er nou gek?

'De handschoen. Je zei: "De handschoen ontploft."'

'Ik zei *bom*.'

De Frons leunde achterover in zijn stoel en tikte met het potlood tegen zijn kin. 'Ik verwachtte natuurlijk dat je "bom" zou zeggen. Daarom verbaasde die handschoen me.'

'Ik heb helemaal geen "handschoen" gezegd.' De Frons knikte met zijn hoofd. Net als zo'n hondje op de hoedenplank van een auto. 'Je moet je oren laten uitspuiten,' zei ik.

'Je bent van streek.'

'Ik heb hoofdpijn,' zei ik. 'Mag ik weg?'

'Natuurlijk. Ga maar even langs de verpleegster. Je hebt toestemming voor pijnstillers als je ze nodig hebt.'

Het tehuis waar ik nu opgesloten zat – 'onze hangplek' noemden de oudere jongens het – was een 'gesloten psychiatrische inrichting voor gevaarlijke jonge delinquenten'. De afdeling was eigenlijk voor jongens van twaalf tot veertien. Met mijn negen jaar was ik de jongste die er werd opgenomen in de vier jaar en zeven maanden dat ik er woonde. Vóór mij was er niets geregeld voor kinderen jonger dan twaalf die zo'n afschuwelijke misdaad hadden gepleegd. Maar ik zou de laatste niet zijn.

Sommigen waren er om onderzocht te worden voordat ze werden berecht. Sommigen, zoals ik, waren er omdat de overheid niet goed wist wat ze met ons aan moest. En sommigen waren te zwaar gestoord om berecht te worden en te gevaarlijk om los te laten.

Toen ik twaalf was, kwam er een jongen van tien bij. Maar voor een tienjarige was hij keihard. Zijn vader had hem al vanaf zijn zesde door andere mannen laten gebruiken. Nu had hij een van zijn 'klanten' én zijn vader neergestoken. De andere jongens noemden hem Jackpot en behandelden hem met veel respect. Ik was gewoon doodsbang voor hem.

De Cowboy was zo'n jongen die was gaan schieten op school. Ja, in Alaska. Hij had om zich heen geschoten in de brugklas. Als we het goed begrepen, dacht hij dat het een makkelijke manier was om beroemd te worden.

K'nex hield van retro. Hij praatte als een herhaling van *Miami Vice*. Bij wijze van hobby sneed hij de huisdieren van de buren in stukken, die hij daarna in hun huizen verstopte, als een bloederige versie van paaseieren zoeken. Hij was net veertien en zat hier om onderzocht te worden, zodat ze hem konden opbergen voordat hij mensen begon te ontleden.

We hadden lesuren – school en therapie. Er was individuele

therapie, groepstherapie, verplichte studietijd, en vrije tijd onder toezicht.

Daarvoor verplaatsten we ons binnen grijze dozen. De vloeren waren grijs, en de muren waren van blokken gasbeton met een heleboel lagen dikke grijze verf eroverheen. Hard. Onverbiddelijk. Geen schilderijen (scherpe hoeken), geen felle kleuren (kunnen agressie versterken), hoge plafonds met verzonken tl-verlichting voor donkere winterdagen (geen glazen gloeilampen binnen bereik van de patiënten).

Maar in de zomer stroomde het licht onbelemmerd naar binnen door de grote ruiten zonder tralies (kogelvrij glas) en kaatste terug van de glanzende muren en vloeren, net als de geluiden die galmden en versterkt werden. Ik haatte de zomer; het lawaai was erg genoeg. Het licht *en* het lawaai zetten me op scherp.

Alle bewoners stonden stijf van de spanning, dus slikten we veel pillen. Dat waren de pokemonkaarten van de maniakkenmeute. Ruil en afpersing, met spuug van anderen in je mond.

Tijdens schildertherapie slenterde K'nex een keer naar de Cowboy, Jackpot en mij toe.

'Hé, killer.'

Hij boog zich voorover naar de Cowboy. 'Dit wil je weten, man.'

We waren allemaal blank, maar werkelijkheidszin was niet de sterkste kant van K'nex.

'Wat moet je ervoor hebben?' vroeg de Cowboy.

'Hou je slaappil onder je tong en geef hem morgen aan mij.'

'Vraag er zelf een.'

K'nex keek over zijn schouder, naar de kale, grijze gang met linoleum op de vloer. 'Dat schrijven ze op, man, en ze geven het door aan de politie.'

'En wat doet die ermee?' vroeg de Cowboy.

K'nex krabde aan zijn hoofd. 'Wil je het weten of niet?'

'Hé,' zei ik. 'Je mag die van mij hebben. De Cowboy heeft zijn pillen zelf nodig.' Ik kon die van mij ook gewoon slikken. Morgen was K'nex het toch vergeten, of hij zou tot de conclusie komen dat de ontbrekende pil deel uitmaakte van een mondiale samenzwering.

Hij wenkte ons dichterbij en keek om zich heen. Waarschijnlijk zocht hij naar afluisterapparatuur. 'Er is weer een schietpartij geweest op een school,' zei hij.

De Cowboy verstijfde.

'Ja. In Boston. Of was het nou Maine? Nou ja, in een van die staten in het zuiden.'

Ik keek naar het gezicht van de Cowboy, maar hij vertrok geen spier.

'Die killer kon er wat van,' zei K'nex. 'Hij had er meer dan jij. Daarna heeft hij zich door zijn kop geschoten.'

Ik zweer dat ik de Cowboy even zag oplichten. Daarna doofde hij weer uit.

'Die killer wordt beroemd, man. Jij bent niks bijzonders.'

'Zit 'm niet te zieken,' zei ik.

K'nex bekeek me woedend van top tot teen. Zijn stem werd dodelijk. 'Jij kan maar beter dimmen, man.' Hij draaide zich om en keek toen over zijn schouder. 'Heb je een hond? Wacht maar tot ze me loslaten.'

Die middag nam de Cowboy een afgebroken tandenborstel mee naar de kamer van zijn psychiater. Hij zette hem tegen zijn eigen halsslagader en ramde hem erdoor. Waar de dokter bij zat. De Cowboy wilde zijn krantenkoppen, al werd het zijn dood. Ja, hij ging dood. Je kunt nu eenmaal geen tourniquet om iemands nek binden.

We werden allemaal vierentwintig uur opgesloten, behalve voor onze individuele behandelingen en een groepsgesprek op onze afdeling. Had K'nex de Cowboy uitgedaagd om zelfmoord te plegen? Volgens mij was de Cowboy al dood vanaf het moment dat hij zijn klas overhoop schoot.

En ikzelf? Waarom had ik er niet aan gedacht om me van kant te maken? Waarom dacht ik er niet aan om nog iemand te vermoorden?

Op mijn twaalfde verjaardag liep ik de kamer van de Frons binnen, ging zitten en legde mijn sinds kort grote voeten op zijn bureau, zoals hij ook altijd deed.

De Frons noemde dit een nieuwe fase in de ontkenning. Eerst ontkende ik het 'voorval' door in shock te raken, niet te praten en alles te vergeten. Nu ontkende ik het door stoer te doen - hé man, waarom zou ik met jou praten over iets wat nooit is gebeurd? De Frons kreeg me niet meer zo gek om over coyotes uit tekenfilms te beginnen, of terug te denken aan de geur van benzine op een warme julidag.

'Wat is dat?' vroeg ik.

'Cadeautje. Van mij voor jou.'

'Cool,' zei ik. Hij had me nog nooit iets gegeven – op mijn verjaardag, met Kerstmis, wanneer dan ook. Waarom zag ik het dan niet aankomen?

Ik trok aan het lint en maakte de doos open. Het was een honkbalhandschoen. Met de kleur van bladeren als ze net op de grond zijn gevallen.

Ik staarde in de doos alsof hij vol vergeten geheimen zat. Het zachte bruine leer leek zo soepel als de gebruinde huid van mijn moeder in de zomer.

'Dat was ook zijn verjaarscadeau,' zei ik.

'Dat weet ik.'

Toen ik opkeek, zag ik de Frons in een waas. Hij had zijn voeten niet meer op het bureau. 'Ruim een jaar geleden heb ik met Bobby's ouders gesproken. Ik heb ze gevraagd waarom Bobby die dag naar jullie huis ging.'

'Om op te scheppen over zijn handschoen.'

'Was je boos op hem?'

Ik knikte, terwijl ik weer in de doos keek.

'Ik wilde de handschoen kapotmaken.' Ik haalde mijn vingers door mijn haar en trok eraan zodat het pijn deed. Ik sloot mijn ogen. 'Ik geloof dat ik Bobby niet eens zag. Ik zag alleen die handschoen. Als ik die kapot kon maken, als hij die niet had, stonden we quitte, of zoiets.'

'Weet je zeker dat je Bobby niets wilde doen?' vroeg de Frons.

En voor het eerst in al die tijd wist ik het zeker. Ergens diep binnen in me had die gedachte aan me gevreten, met scherpe tanden aan me geknaagd, terwijl ik niet wist waar het nou precies om ging.

'Ik wilde alleen dat Bobby naar huis ging. Ik wilde niet dat hij de ruzie hoorde. Ik wilde het zelf ook niet horen. Met Bobby ging alles prima, maar mijn leven was een grote puinhoop. En hij had die handschoen.'

'Als je die handschoen kapotmaakte, zou hij naar huis gaan,' zei de Frons.

Ik knikte. 'Maar ik zag die vlammen... Bobby's kleren verbrandden, en toen zijn haar en zijn huid, en hij gilde en ik gilde en toen wist ik het. Dit ging niet zoals in tekenfilms. En toen niets meer. Ik kon niets meer horen of zien en...'

Ik graaide de handschoen uit de doos en smeet hem tegen de muur. 'Dit,' zei ik met een zwaai van mijn armen. '*Dit* is allemaal pa z'n schuld.' Mijn stem sloeg over en ik vocht tegen de tranen die in mijn ogen prikten. 'Hij heeft die benzine daar gelaten. En een aansteker. Wat voor vader doet dat nou?' Ik leunde voorover naar het bureau. 'Ik haat hem omdat hij dat heeft gedaan. Ik was een klein kind. Dit zou allemaal nooit gebeurd zijn. Bobby zou nog leven en ik zou nog een gewoon kind zijn, als hij...'

Ik kon niet stilzitten. Ik sprong overeind en begon heen en weer te lopen. 'En tante Jemma die me daar weg wou halen. Ik was mijn moeder kwijt. Wilde ze dat ik ook nog mijn vader en mijn huis kwijtraakte? Ik had de hele tijd hoofdpijn. Bonk, bonk, bonk.

Alsof iemand me schopte. En mamma. Ze ging zomaar dood. Ik was pas negen. Hoe kon ze me dat aandoen?' Ik pakte de plastic bak met zuurtjes en smeet hem door de kamer. Hij knalde met een mooie dreun tegen de deur. 'Maar... ik... ben... GEEN monster!'

'Je bent kwaad. Je had het zwaar voor zo'n jong kind. Het leek wel of alle mensen die je moesten beschermen, je in de steek hadden gelaten.'

Precies. Hij moest eens weten hoe waar dat was. En dan was er nog dat geheim dat ik hem niet kon vertellen.

'Jij!' schreeuwde ik tegen de Frons. 'Jij zou moeten weten wanneer je te ver gaat. Je bent op verboden terrein. Heb je je titel online gehaald of zo?'

Mijn geschreeuw had de aandacht getrokken van de ziekenbroeder van de dag. Hij kwam de kamer binnen, klaar voor actie. Nou, die kon hij krijgen. Ik vloog hem aan en gaf hem een kopstoot tegen zijn borst.

Maar ik eindigde op de grond en werd niet eens beloond met een bevredigende kreun van de ziekenbroeder. Zijn borst was een stenen muur, en mijn hoofd een meloen.

'Je zult wel weer hoofdpijn hebben,' zei de Frons. Het klonk niet sarcastisch. Hij was bedroefd, alsof hij het allemaal had verwacht. 'Ik sluit je een paar dagen op. Je mag iets hebben voor je hoofd.'

De ziekenbroeder wees zonder iets te zeggen naar de deur. Op weg naar de gang gaf ik de stoel een schop.

We liepen zwijgend verder tot we bij de ingang van de afdeling waren. Terwijl hij de sleutel omdraaide in het slot van de deur, hoorde ik zijn zware stem, zacht en kalm: 'Dat komt allemaal in je dossier. De rechter leest het. Die trap tegen de stoel, alles. Dat wil je niet.'

'Lazer op.'

'Dat zal ik niet in je dossier zetten. Weet je waarom niet? Jij bent niet hard. Je bent kapot.'

De pil voor mijn hoofdpijn schakelde me een paar uur uit. Ik werd
versuft wakker en dommelde telkens weer weg.

Ik zag wat papieren en krijtjes naast me liggen. Blijkbaar hadden ze mijn huiswerk gebracht terwijl ik buiten westen was. We
kregen geen potloden of pennen in de isoleer. Niets scherps.

Ik zakte weer weg. Droomde zo'n beetje over de leraren die er
een hekel aan hadden om ons huiswerk uit de isoleer na te kijken.
Dommelde wat. Droomde over krijtjes. Droomde over ma.

'Lieve help, Kip, ben je boos op dat plaatje?' vroeg ma.

Ik maakte harde, ruwe krassen dwars over de tekening van een
eland in mijn kleurboek.

Ze kwam naast me aan tafel zitten. 'Je hebt het krijtje gebroken.'

Ze pakte mijn hand en wreef hem om de spieren te ontspannen.
Ze strekte mijn vingers één voor één en bewoog mijn pols – op en
neer, heen en weer. 'Je bent net je vader. Zo gespannen.'

Ze zocht een bruin krijtje uit en gaf het aan mij, terwijl ze zelf
een gele nam. 'Zullen we deze bladzijde samen kleuren? Kijk eens
hoe ik het doe.' Ze hield het krijtje zacht op het papier en kleurde
de tekening voorzichtig in, netjes binnen de lijnen.

'Mooi hè?' Ze wees naar het papier. 'Probeer jij nu de boom-
stam?'

Ze deed me voor hoe ik het krijtje moest vasthouden. Deze keer
scheurde het papier niet.

'O, wat mooi! Zullen we nu de bladeren doen?' zei ma.

Ik legde het krijtje neer. Ik had zo mijn best gedaan om voorzichtig te doen en binnen de lijnen te blijven, dat ik bijna uit elkaar
klapte.

Pa zou gewild hebben dat ik afmaakte wat ik begonnen was, maar ma lachte. 'Ga maar. Dan gaan we straks lezen, als je terugkomt.'

Ik glimlachte naar haar terwijl ze me hielp om mijn jas aan te trekken, die langs de capuchon met bont was afgezet.

Ma begreep het.

Ik kon eerder lezen dan de meeste kinderen. Ma las me het ene boek na het andere voor terwijl ik bij haar op schoot zat. Ze wees de woorden aan zodat ik kon zien wat de verschillen en de overeenkomsten waren. Ik weet niet precies hoe en wanneer het gebeurde, maar op een dag kon ik de woorden zelf lezen.

Pa las me ook voor, maar altijd hetzelfde boek. *Renner* heette het. Hij had het al toen hij zelf een kind was. We lazen het wel duizend keer. Als hij de laatste bladzijde had gelezen, sloeg hij het boek dicht en streek met zijn vingers over de tekening van de jongen op zijn paard, Renner, met zijn hond Schaduw die naast hem draafde. Pa's vingers die het boek streelden deden me eraan denken hoe hij soms mijn moeders wang of haren aanraakte, alsof hij aan het bidden was.

'Dit boek kan ik niet missen... Het is mijn toetssteen,' zei hij. En ma's mond verstrakte, maar daarna zuchtte ze en ontspande. 'Het is in ieder geval het begin geweest van alles.'

Ik vroeg niet wat een toetssteen was, maar ik wist dat er met dat boek nog iets was wat ik niet begreep.

Toen ze me in de inrichting opsloten, bracht pa me zijn boek, en een foto van mijn moeder. Hij dacht dat dat de twee dingen waren die ik het liefst wilde hebben.

Sinds ik acht of negen was had ik het boek niet meer gelezen. Dus toen ik in de isoleer zat, vroeg ik erom en las het. En toen begreep ik eindelijk het probleem van mijn ouders.

Het boek gaat over een paard, een jongen en een vader die niet meedoen in de maatschappij, en die dat ook niet kunnen en *niet willen*. Ze leven op hun eigen manier – niet echt wild, maar vrij.

Ja, zo is pa. En ik was beslist wild, maar *niet* vrij.

Ma was helemaal niet 'wild' of 'vrij'. Ik denk dat ze van de schoonheid van Alaska hield, maar de eenzaamheid was voor haar even dodelijk als haar kanker.

En ik geloof dat ze zich er niet tegen heeft verzet.

Dat jaar liet ik me meesleuren door mijn woede. Ik sloeg om me heen in de maniakkenmeute. Ik probeerde de ziekenbroeders te lijf te gaan, maar ze waren groter en sterker dan ik. Ik vocht met de muren en brak botjes in mijn handen; ik vocht met mijn vader; met de Frons; met alles en iedereen.

Als ik na zo'n gevecht in de isoleer zat, las ik om de tijd door te komen. Ik leende zoveel boeken als ik mocht hebben van de rijdende bibliotheek, en de leraar Engels stuurde me er nog meer. In *Oorlog en Vrede* stopte hij een briefje:

> Kip,
> Dit heb ik pas gelezen als tweedejaarsstudent.
> Maar ik denk dat jij het aankunt.
> Meneer Cannon

Ik beloonde zijn vriendelijkheid met honende minachting.

> Meneer C.,
> Ik heb het *vorig jaar* al gelezen.
> Meneer Kip

Met mijn vader vocht ik ook – met mijn mond. Tijdens drie van zijn wekelijkse bezoeken zat ik alleen maar woedend te kijken terwijl pa over van alles en nog wat praatte. Toen hij me bij zijn vertrek probeerde te omhelzen, schudde ik hem van me af. De volgende keer dat hij kwam, hadden we een sessie met de Frons.

Ik kwam binnen met pa's boek, *Renner*.

Ik plofte neer in mijn stoel en gooide het boek op het bureau van de Frons.

'Dat mag je terug hebben. Ik wil het niet.'

'Waarom niet?' vroeg mijn vader.

Ik zuchtte vol afkeer. 'Omdat het van jou is,' zei ik toen.

De Frons verbrak de stilte die daarop volgde. 'Bedoel je dat je niets wilt hebben dat van je vader is, of vind je dat het eigenlijk van hem is, en niet van jou?'

'Wat is het verschil?' zei ik.

'Kip, dit soort shit hebben we achter de rug. Hou op met manipuleren,' zei de Frons.

'Oké. Ik wil pa laten merken dat ik boos ben.'

'Dat heb je al duidelijk gemaakt door niet tegen me te praten.' Pa klonk bedroefd, maar zijn stem had nog steeds die harde onderlaag. Als een warme beek met een rotsbedding.

'Ik heb dat boek nog eens gelezen. En toen herinnerde ik me dat het in Alaska allemaal om jou draaide. Jij moest in de wildernis leven. Jij moest "vrij" zijn, zoals die vent in dat boek. Het kon je niet schelen wat ma wilde. Jij wilde geen mensen om je heen, maar ma was eenzaam. En je had het altijd over werken, werken, werken. Doe dit, doe dat. Harder werken. Het is pas klaar als het goed is.'

Ik stond op om nu eens één keer langer te zijn dan pa. 'Ik was een kind. Niet jouw slaaf. En ma ook niet.' Ik schreeuwde nu. 'Wat er ook met haar gebeurde, wat er ook met mij gebeurde – het draaide altijd allemaal om jou.'

Pa vloog overeind en kwam vlak voor me staan. 'Zitten! Ga zitten en zeg nooit, *nooit* meer zoiets tegen mij!'

'Hier gelden andere regels. Jij bent hier niet de baas.' Ik stapte naar voren, tot we borst aan borst stonden.

Zwetend en met een rode kop stond hij voor me. Hij haalde diep adem en keek naar de Frons.

'Terugschakelen,' zei de Frons.

Pa knikte, stapte achteruit en ging zitten. Hij haalde een paar keer diep adem en blies de lucht hard uit. Toen pakte hij de zijkanten van zijn stoel zo stevig vast dat ik de pezen in zijn polsen duidelijk kon zien. De littekens van zijn brandwonden waren akelig bleek. Hij staarde naar de vloer.

Wat had dit verdomme te betekenen?

'Ga zitten, Kip,' zei de Frons.

Ik ging zitten.

'"Terugschakelen" komt uit de lessen in woedebeheersing. Die heeft je vader ook gevolgd.'

Pa liet de stoel los en wreef zijn handen over elkaar. 'Je moeder zei altijd dat ik bij elke kleinigheid over de rooie ging.'

Ik zat op het puntje van mijn stoel. Nu dat woedegedoe eindelijk een keer niet alleen over *mij* ging, moest ik bijna lachen. In plaats daarvan pakte ik het boek en mepte ermee op het bureau. BENG! BENG! BENGBENGBENG! Daarna zwiepte ik het door de kamer.

Ik vloog de deur uit, recht in de handen van de ziekenbroeder van de dag.

De enige plaats waar ik me meestal kon beheersen, was in de klas. Ma had me thuis lesgegeven, dus was ik eraan gewend in mijn eentje te werken.

Hoewel ik nog geen dertien was, volgde ik de lessen samen met de jongens van veertien. De meesten hielden hun vingers bij de woorden die ze zwaar zuchtend probeerden te lezen, dus zoveel stelde het niet voor. Maar de leraar had veel tijd voor me als we de boeken bespraken die we gelezen hadden.

Vlak voor Kerstmis liet hij ons *Een kerstherinnering* van Capote lezen. Daarna liet hij de film zien, omdat hij zeker wist dat de meesten het toch niet gelezen hadden, of niet begrepen. Maak het simpel.

Toen de film afgelopen was, vroeg de leraar om commentaar.

Niks. Nada.

Ten slotte zei een jongen die we Tenenkaas noemden omdat je door zijn zweetvoeten altijd kon ruiken of hij ergens in de kamer was: 'Als ik whisky had, zou ik hem niet over een cake gieten.'

Een paar jongens lachten.

De leraar legde zijn handpalmen op zijn bureau en leunde naar voren. 'Waar gaat het boek over?'

Een jongen met een lange straf, die er wat tijd af probeerde te halen door te slijmen, zei: 'Een jochie en zijn geschifte tante bakken vruchtencakes voor Kerstmis.'

'Ja,' zei de leraar. 'Dat is wat er gebeurt, maar eigenlijk gaat het over kinderlijke onschuld.'

Het was alsof hij een fakkel bij mijn lont hield.

'Heb je het boek gelezen of alleen de woordjes in de goede volgorde?' vroeg ik.

'Wat zei je?'

'Je komt hier elke dag met je wijvencappuccino en je gesteven kakibroek, maar denk je nou echt dat wij niet weten dat je hier niet zou zijn als iemand anders je ergens een baan zou geven?'

'Ik denk dat...'

'Je denkt helemaal niet. Dat heb je net bewezen.'

'Ga zitten, alsjeblieft...'

'Nee hoor. Ik ben nog niet klaar. Ten eerste is dit geen boek. Het is een lang uitgevallen kort verhaal, en het is geen lief vertelseltje over kinderlijke onschuld. Vergeet het maar.

Als je een boek leest, moet je vragen stellen, heb ik van mijn moeder geleerd. Wie is die jongen en waarom is hij daar? Antwoord: zijn moeder wil hem niet. Dus dumpt ze hem bij zijn straatarme, geschifte tantes. Maar die willen hem ook niet. Dus, kinderlijke onschuld? Lijkt me niet.'

Ik keek om me heen. De leraar Engels staarde woedend naar me en de rest van de klas zag eruit alsof iemand ze met een stok in hun oog had gestoken.

'De meest geschifte tante en het jongetje bakken cakes. Vruchtencakes. Die niemand wil. Ze verspillen het beetje geld dat ze hebben aan iets wat de mensen lachend weggooien.

En hoe loopt het verhaal af? De hond gaat dood. De tante gaat dood. Verlies, verlating en eenzaamheid. Waarom schrijft hij het boek, terugkijkend als hij ouder is? Omdat hij nu weet dat ze door iedereen werden uitgelachen. Dat is zijn kerstherinnering. Vernedering en verdriet.'

Ik gooide het boek op zijn bureau. 'Er staat meer in een boek dan alleen de woorden, zakkenwasser.'

Dat leverde me weer een ogen-naar-de-vloer-en-niks-zeggen-sessie bij de Frons op, plus twee dagen isoleer, maar ik kon mijn schoolwerk tenminste doen zonder debielen om me heen. Bovendien zei de Frons dat ik bonuspunten kreeg voor mijn grote woordenschat. Ik weet niet welk woord een jongen van twaalf volgens hem niet zou moeten kennen: verlating, vernedering of zakkenwasser.

Maar toen de rechter mijn geval opnieuw bekeek, was er natuurlijk geen sprake van dat deze tiener, die geen idee had hoe hij zijn woede kon beheersen, zou worden losgelaten op de vreedzame en nietsvermoedende burgers van Alaska.

Het laatste gevecht dat ik me uit de inrichting herinner, was in de kantine. Ik was dertien. Er kwam een nieuwe binnen. Hij was zo vol van zichzelf dat het uit zijn poriën stoomde. Het rollende-heupenloopje van de bad boy, zo'n slome wat-kan-het-mij-schelen houding, en de vooruitgestoken je-kan-me-maar-beter-met-rust-laten kin – deze gozer had het allemaal. Hij schoof zijn blad op de tafel en begon het anonieme stuk vlees te mishandelen met zijn plastic vorklepel.

'Hé, losers. Goed nieuws. Ik kom de zaak overnemen. We zullen eens kijken wie welke pillen krijgt en dan, zal ik jullie vertellen wanneer je ze bij mij moet inleveren.'

Hij leek ouder en gevaarlijker dan wij met zijn allen, maar ik had dat type al zo vaak zien komen en gaan en ik was nu al twee jaar in een klotehumeur.

'Vertel dat verhaal maar aan een andere tafel,' zei ik.

'Pas op wie je een grote bek geeft, dwerg. Ik heb de kat van mijn zus in brand gestoken en haar gedwongen om toe te kijken. Dacht je dat ik jou niet kan dwingen om me een paar pillen te geven?'

Er zaten zes jongens aan tafel en ik betwijfel of er één ademde. Ten slotte wees Klepto – een jongen die het niet kon laten om auto's te stelen, zelfs niet als het politieauto's waren – in mijn richting en zei: 'Hé, deze jongen heeft een kind in brand gestoken toen hij op de kleuterschool zat of zo.'

Ik was klaar met eten. Ik zette mijn melk neer en tilde mijn blad op. De nieuwe keek me over tafel aan en ik zweer dat hij grijnsde alsof hij de loterij had gewonnen.

'Echt waar? Heb je een kind afgefakkeld? Hoe voelde dat? Lekker, zeker?'

Ik had hem op de grond voordat ik wist dat ik hem dwars over tafel was aangevlogen. Hij was minstens tien kilo zwaarder dan ik, maar ik was razend. Er waren twee ziekenbroeders nodig om me van hem af te trekken.

'Je oog ziet er beter uit,' zei de Frons. 'Met die andere jongen gaat het niet zo goed.'

'Leuk hoor,' zei ik. Ik was niet boos meer. Alleen moe.

'Wat vind je zo erg?'

Ik zakte onderuit, maar keek de Frons strak aan. 'Die jongen die een kat heeft aangestoken, wilde weten hoe het voelde. Om een mens te verbranden.'

'Dat heb ik gehoord.'

'Nou, wat is dan het verschil met jou? Of met de advocaten, de rechter, en zelfs mijn vader? Jullie willen allemaal weten hoe ik me voelde.'

'Kip, je weet wat het verschil is.'

'Dat probeer ik je te vertellen. Ik raak hier de weg kwijt.' Ik stond op en liep naar de deur.

Die avond verschenen er antidepressiva op mijn menu. Zonder richting aan te geven en met piepende banden was ik afgeslagen van razernij naar depressie. Het begon ermee dat het me allemaal geen moer meer kon schelen; ik douchte niet en waste mijn haar niet meer. Daarna kreeg ik sombere buien, ik kon niet slapen of sliep te veel, had geen zin om te eten, voelde me lusteloos, en ten slotte huilde ik telkens zonder reden.

'Je raakt eraan gewend om hier te zijn. Dat wil ik niet.' De Frons leunde op zijn bureau, in mijn richting, en probeerde door mijn lusteloosheid heen te prikken. 'Dat wil je zelf niet.'

'Waarom niet? Ik kan hier blijven. Dan doe ik niemand kwaad.'

'Je hebt nog tijd om kind te zijn. Naar school te gaan. Een echte. Normale mensen te ontmoeten. Je bent nog niet eens in de puberteit, Kip. Je hebt een heel leven voor je.'

Ik zakte verder onderuit in mijn stoel en rolde met mijn ogen.

'Ja hoor. Een leven met schattige poesjes in kleurige mandjes, blauwe luchten, en een volmaakt jumpshot?'

'Dat lijkt me niet, maar ik kan me best een vrij normaal leven als klein opscheppertje voorstellen,' zei de Frons.

Ik haalde mijn schouders op.

De Frons begon met zijn pen te tikken.

'Je moet nooit gaan pokeren,' zei ik. 'Dan kom je diep in het rood.'

De Frons fronste.

'Er is iets wat je wilt zeggen en nu zoek je een invalshoek,' zei ik. Dat soort dingen zei hij zelf ook vaak.

'Ben ik zo doorzichtig?'

'De enige die ik langer ken dan jou is mijn vader.'

'Het gaat over hem,' zei de Frons.

Ik ging rechtop zitten. 'Mijn vader? Is er iets met hem?'

'Nee hoor. Maar we moeten eens met elkaar praten. Jij, ik, hij en iemand die hij aan je wil voorstellen.'

Deze keer zag de Frons mij fronsen. Toen viel het muntje.

'Wow, pa heeft een vriendin. Een echte.'

'Hij wil met je praten...'

'Klets niet. Komt hij me vertellen dat hij gaat trouwen?'

Die pen weer. Tik-tik-tik.

Ik begon de zuurtjes te sorteren. 'Vraag je me niet eens hoe ik dat zou vinden?'

De Frons lachte. 'Dan zou ik het toegeven.'

Ik hield op met sorteren en gooide een rood zuurtje naar hem toe. 'Is ze al bij je geweest? Vroeg ze of ik het huis in brand ga steken als zij liggen te slapen?'

'Je weet dat ik haar niets over jou mag vertellen. Niet zonder jouw toestemming. En ik heb haar nog niet ontmoet.'

'Als ze bestaat, bedoel je.'

'Inderdaad.'

'Ik zal je wat vertellen. Het kan me niet schelen als ze een bloedhekel aan me heeft, en ik aan haar.'

En toen sprongen de tranen in mijn ogen. Ik kon ze niet tegenhouden. 'Als ze aardig is voor pa, nou ja... je weet wel, hij is hier altijd geweest. Hij blijft terugkomen. Pa verdient het beetje geluk dat hij te pakken kan krijgen, toch?'

'Ben je aan het slijmen om een extra toetje te krijgen of zo?'

'Ja hoor, slijmen om een slijmerig toetje.'

'Maak dat je wegkomt, kleine smeerlap. Kom morgen maar terug.'

Ze heette Carrie en ze leek helemaal niet zenuwachtig. Pa was zenuwachtig genoeg voor iedereen in de kamer plus een heel dorp in Taiwan, en hij liet haar hand geen moment los. We kletsten wat en toen zei Carrie: 'Mag ik eerlijk tegen je zijn, Kip?'

'Ga je gang.'

'Kip, ik ken je vader nu al een tijdje. Toen hij vond dat het serieus begon te worden met ons, heeft hij me over jou verteld. En ik moet zeggen: het pleit voor je dat deze man je vader is. Maar ik laat mijn oordeel over een kind niet afhangen van wat zijn ouders zeggen. Begrijp je dat?'

Ik knikte.

'Ik kan je ook vertellen dat je vader, als hij een keus moest maken tussen ons, zonder aarzelen voor jou zou kiezen. Dat pleit ook voor je.'

Carrie draaide zich om en glimlachte naar pa. En toen hij naar haar glimlachte, drong er opeens iets tot me door. Pa ontspande nooit en begon niet van binnenuit te stralen als ma naar hem glimlachte. Ze waren stijf gespannen en werden somberder in elkaars aanwezigheid. Maar er was nog iets wat ik kon zien aan pa's glimlach. Carrie had zijn leven gered.

'Ik wil je toestemming vragen om alle informatie te bekijken die ik nodig heb, voordat ik hiermee doorga,' zei Carrie. 'Als ik met je vader trouw, word jij een deel van mijn leven en moet ik er voor je zijn. Wanneer je hieruit komt, krijgen we een heleboel shit over ons heen. Daarom wil ik zeker weten dat ik genoeg in jou geloof.'

'Je draait er niet omheen, hè, Carrie?'

'Zou je dat dan willen?'

Ik keek de Frons aan. 'Kan ik gewoon zeggen dat ze mijn dossier mag zien, of moet ik iets tekenen?'

'Jij en je vader moeten allebei een handtekening zetten.' Hij schoof een paar papieren naar me toe. Ik tekende zonder te lezen.

'Waarom zouden we shit over ons heen krijgen?' vroeg ik.

Pa wreef met zijn hand over zijn mond. 'Er zijn wat... problemen geweest die je dokter en ik liever voor je verborgen wilden houden tot kort voor je vrijlating.' Hij leek slecht op zijn gemak.

'Hoe erg was het? Geef me alleen een idee. De details hoor ik later wel.'

Pa zuchtte. 'Onze naam is uitgelekt. De krant mag hem niet afdrukken, maar de mensen praten. Je weet hoe dat gaat, Kip. Het hele, uh, voorval heeft in de kranten gestaan. Het is zelfs landelijk nieuws geweest, met de televisie en alles wat daarbij komt. Ik heb een keer moeten verhuizen en mijn baas moest me vragen om ontslag te nemen omdat... Nou ja, nu gebruik ik onze eigen achternaam niet meer. Ik gebruik ma's achternaam. En ik woon niet meer in Anchorage.'

'Waar woon je dan?'

'In Talkeetna.'

'Rij je dat eind elke week om naar mij toe te komen?'

'Het valt wel mee.'

'Ook in de winter? Over ijs?'

Pa haalde zijn schouders op. 'Het is niet belangrijk, Kip.'

Maar het was wel belangrijk. Ik had hem jarenlang ellende bezorgd waar ik geen flauw idee van had. Wat was er nog meer?

Die nacht had ik de ergste nachtmerrie van mijn leven.

Het leek op zo'n vampierfilm. Horden mensen die met fakkels over straat lopen en schreeuwen: 'Sleur hem naar buiten! Nu is het zijn beurt!' Ze zwermen rond het huis waar ik vroeger woonde. Pa doet de deur open. Ik sta achter hem. Hij loopt de veranda op en de hele krijsende meute gooit fakkels naar hem. Pa verbrandt voor mijn ogen en ik verstijf als ik zie dat de brandende dingen geen fakkels zijn. Het zijn honkbalhandschoenen. Brandende handschoenen.

'Kip, hé, jongen toch.'

Ik word met een schok wakker en zie een van de kampbeulen die zich over me heen buigt.

'Het is goed. Kalm maar. Jongen, jij hebt echt de gorilla gebeten.'

Ik droop van het zweet, mijn hoofd bonsde en...

'Wat?'

'Je hebt de gorilla gebeten. Een erge nachtmerrie gehad. Je gilde zo hard dat het klonk alsof iemand hier een gorilla beet.'

'Het was eerder andersom.'

Ze hurkte een beetje zodat ze me kon aankijken. 'Gaat het weer? Zal ik de dokter halen?'

'Nee, het lukt wel, denk ik.'

'Ik kan je iets geven om rustiger te worden. Je weet het zelf misschien niet, maar je trilt als een paard dat door horzels is gebeten.'

Ik glimlachte bijna. 'Bedenk je die dingen zelf voor als we door het lint gaan? De gorilla bijten? Een door horzels gebeten paard?' Ik wees naar haar met mijn wijsvinger. 'Je moet eens met de dokter praten over die bijtfixatie van je.'

'Laat die neppsychologie maar zitten. Wil je een handje farmaceutica om weer in slaap te komen of krijg je er liever van langs met schaken?'

'Mag ik dan warme chocolademelk?'

'Natuurlijk.'

'Ik waarschuw je: ik ben de beste schaker van de afdeling.'

'Schatje, de meeste jongens hier noemen het paard een beest en bijten dan zijn kop af.'

'Daar ga je weer met je bijtfixatie.' Ik was een belabberde schaker, maar ik verloor liever de hele nacht dan dat ik ging slapen en misschien weer die droom kreeg.

'Hé, uh, ik weet niet hoe je heet,' zei ik. 'Ik slaap meestal als je dienst hebt.'

'Noem je me dan niet kampbeul zoals alle andere verpleegsters?'

Betrapt.

Ze lachte hardop. 'Het geeft niet, jongen. De verpleegsters noemen jullie toch ook de maniakkenmeute.'

Ze zag blijkbaar hoe ik keek. 'Hé zeg, wie uitdeelt moet ook kunnen incasseren.'

Daar was ik juist zo bang voor.

'Ik heb gehoord dat Belinda je heeft leren schaken,' zei de Frons.

'Ik kon het al.'

'Volgens Belinda niet.'

Ik grijnsde. 'Misschien heeft ze wel gelijk.'

'Zo'n erge nachtmerrie... Ik vind dat we daarover moeten praten.'

'Ik praat liever over die shit waar Carrie het over had. Ik wil weten waarom mijn vader zijn naam moest veranderen.'

'Dat dacht ik wel,' zei de Frons. Hij gooide een dikke map op het bureau en schoof hem naar me toe. 'Ik heb ook een paar video's. Nieuwsberichten en een documentaire over kinderen die kinderen hebben vermoord. Ze mochten je naam niet noemen, maar het is duidelijk dat het over jou gaat. De familie Clarke wordt geïnterviewd en ze laten jullie huis zien.' Hij haalde drie video's uit een la en stapelde ze op het bureau.

'Ik moet wat schrijfwerk doen. Ik stel voor dat je begint met lezen. Je mag me alles vragen, en je mag alles zeggen wat je wilt. Gooi het eruit. Als je klaar bent met lezen, kunnen we samen de video's bekijken. En daarna erover praten. Ik heb de hele middag voor je uitgetrokken.'

'Een hele middag? Denk je dat dit een keerpunt voor me is, of zo?'

'Als je vaak genoeg keert, ga je weer dezelfde kant op. Maar het wordt een zware dag – dat wel.'

'Dan wil ik op de divan.' Ik pakte de map en ging op de divan liggen, met een kussen onder mijn hoofd.

Mijn naam werd nooit genoemd. Maar er waren foto's van mijn huis als plaats van de misdaad. De eerste berichten waren vaag. Ze zeiden alleen dat er twee kinderen bij betrokken waren, die allebei in het ziekenhuis waren opgenomen. Een van de twee voor brandwonden. Maar zodra het duidelijk werd dat de ene jongen verantwoordelijk was voor de dodelijke brandwonden van de andere, hadden ze het opeens over 'de gruwelijke misdaad'.

Ik las schuimbekkende ingezonden brieven over misdadigers die zich achter hun leeftijd verscholen om aan vervolging te ontkomen. Mensen schreven woedend dat de gemeenschap beschermd moest worden tegen 'rotte appels'. Een vrouw citeerde uit de Bijbel dat zeven de leeftijd van de rede was – dus moest dit negenjarige duivelskind naar de hel, om zelf te ontdekken hoe het is om te verbranden.

'Is zeven echt de leeftijd van de rede?' vroeg ik.

'Lees je die ingezonden brieven?'

Ik knikte.

'Daar is de angst aan het woord. Er is iets gebeurd wat de mensen niet begrijpen. Wat niemand onder controle had. Dus moet jij maar weg. Dat is het eenvoudigst. Als ze je niet zien, hoeven ze ook niet bang voor je te zijn. Ze kiezen de gemakkelijkste kant – die van het duidelijkste slachtoffer.'

'Wat bedoel je? Bobby was het enige slachtoffer.'

De Frons zette zijn bril af en wreef over de rode putjes aan de zijkanten van zijn neus. Daarna zette hij zijn bril weer op en schoof hem zorgvuldig goed voordat hij me aankeek. 'We hebben slacht- offers zat. Bobby is de dooie.'

Ik wist niet wat ik moest zeggen.

'De Clarkes zijn slachtoffers, maar ze hoeven zich niet schuldig te voelen zoals jij.'

'Ben ik een slachtoffer?'

'Ja, en je vader ook. Zeker weten. Jullie leven is helemaal ver- anderd. Jullie zullen elke dag de gevolgen moeten dragen. Jullie raken het schuldgevoel nooit meer kwijt. Je vader voelt zich schul- dig omdat hij jou daar heeft achtergelaten met de benzine en de aansteker. En nu jij dit allemaal te weten komt…' – hij maakte een handgebaar naar de map met papieren – 'moet je voortaan leven met de schaamte op je schouder, als een gier op een tak.'

'Duivelskind,' zei ik, terwijl ik naar het krantenknipsel keek.

'Dat geloven jullie buren.'

Ik was hier al die jaren bezig geweest met mijn schuldgevoelens, mijn eigen problemen. In mijn kringetje was nog net plaats voor pa, Bobby en ma, maar ik was het middelpunt. Hoe was het in vredesnaam mogelijk dat ik me nooit had afgevraagd wat andere mensen ervan vonden? Ik wist hoe de maniakkenmeute erover dacht.

'Hoe kan het dat ik de rest van de wereld gewoon ben vergeten? Waarom is het niet bij me opgekomen dat zoveel mensen…' Ik wist niet hoe ik het moest zeggen. Ik liet het krantenknipsel op de stapel vallen.

'Dat bedoelde ik toen ik zei dat je hier begon te wennen. Je was jong. Je kwam net uit een coma. En ik wilde niet dat je je al druk zou maken over de buitenwereld. Nu is het tijd om na te denken over de gevolgen.'

Ik knikte half en pakte een ander knipsel. Het ging over de ziekenhuisopname van de 'jonge dader', die niet berecht kon worden.

Het volgende knipsel was een schok voor me. Het was een foto van de rokende, verkoolde resten van ons huis.

Ik hield de foto omhoog.

De Frons knikte. 'Je vader was hier bij jou in Anchorage. Jullie zijn alles kwijt, behalve wat kleren die hij bij zich had, en de ingelijste foto van je moeder die hij voor jou had meegebracht. Alle foto's van jou als kind, en van je moeder – die zijn er niet meer.'

Hij nam de foto uit mijn hand en legde hem terug in de map.

'Je kunt niet meer naar huis, Kip.'

Ik knikte, verdoofd.

'Je vader heeft gevraagd of ik daarover met je wil praten.'

Ik keek op, maar kon nog steeds niets zeggen.

'Hij en Carrie willen naar het zuiden verhuizen als je hier weggaat. En hij wil dat je nadenkt over een nieuwe naam.'

'Natuurlijk. Hij zei dat hij nu ma's naam gebruikt. Dat is prima.'

'Maar het is niet genoeg. Kip is een opvallende naam. Kip uit Alaska. Ooit, ergens zal iemand het zich herinneren.'

'Moet ik mijn voornaam ook veranderen?'

'Ja, dat is nogal wat. Ik weet het.'

'Eens even kijken – geen moeder, geen huis, geen verleden, geen achternaam, geen voornaam? Hoe weet ik dan nog wie ik ben?'

'Ja, zo zal het in het begin wel voelen.'

Het voelde alsof ik mezelf moest uitwissen. Maar misschien hoorde Kip McFarland er niet meer te zijn. Bobby Clarke was er ook niet meer. Kon ik Kips schuldgevoel afwerpen samen met zijn naam?

Ik keek weer omlaag naar de foto van ons afgebrande huis. Mijn vader had het zelf gebouwd.

'Ik doe wat mijn vader wil.'

9 LEREN WADEN

Terwijl de dag van mijn vrijlating dichterbij kwam, terwijl ik praatte met advocaten, een andere psychiater en een rechter, en daarna wachtte tot ze de gok met me waagden, werd ik bang.

'Waarom kan ik hier niet blijven? Dan kunnen pa en Carrie trouwen en nog lang en gelukkig leven. Ik weet hoe ik hier moet leven. Hoe kan ik nou naar school gaan? Hoe kan ik vrienden maken? Het eerste dat ze hier vragen is: "Waarvoor zit jij?"'

'Je bent bang. Dat is normaal. Maar het is niets voor jou om zielig te doen.'

'Ik doe niet zielig.'

'Nu doe je het weer.'

Ik wilde de bak met zuurtjes pakken, maar de Frons trok hem snel weg.

'Doe me een lol, Kip. Die tijd is voorbij. Als je niet weet wat je moet doen, maak dan een plan. Ik zal je op weg helpen. Wat wordt je nieuwe naam?'

'Zak.'

'Ja, dat past bij je. Maar het staat zo raar in het klassenboek. Probeer het nog eens.'

Die nuchtere toon van de Frons... Ik zuchtte en trommelde met mijn vingers op de stoelleuning.

Na een paar minuten keek ik toevallig naar de achterkant van een van de zeiltijdschriften van de Frons.

'Wade,' zei ik opeens.

De Frons herhaalde het, alsof hij het wilde proberen. 'Wade. Ja, prima. Heb je er een reden voor, of vind je het gewoon goed klinken?'

Ik wees naar het tijdschrift. Een man waadde naar een zeilboot die dicht bij het strand voor anker lag. 'Waden gaat moeilijk. Je

43

kunt niet gewoon lopen, of rennen, en je zwemt ook niet. Je vecht de hele tijd tegen het water.'

'Maar je komt toch vooruit.'

'Optimisten kunnen zo deprimerend zijn,' zei ik.

De Frons stond op en stak zijn hand uit. 'Oké, laten we het eens proberen. "Hallo, Wade, ik ben Don Schofield."'

Nu hadden de Frons en ik allebei een nieuwe naam.

'Leuk om je te ontmoeten, Don.' We gaven elkaar een hand.

'Over drie weken schop ik je de straat op.' Hij ging weer zitten.

'Dat is te snel.'

'Jammer dan. Ik heb genoeg van je. Je bent nu zo normaal dat ik je niet interessant meer vind.'

'Over drie weken al?'

'Je bent er klaar voor. Geloof me,' zei dokter Schofield. Hij draaide een rondje in zijn stoel en stopte toen. 'Ik wil dat je iets doet. Als je een keer aan de computer zit, moet je eens kijken wat je krijgt als je zoekt op "voeden van de hongerige geest". Denk daarover na. En zorg ervoor dat je dat niet doet.'

Later googelde ik op die uitdrukking en kwam terecht op een site over het boeddhistische levenswiel. Daar las ik:

Hongerige geesten

Gekenmerkt door: gulzigheid, begeerte, verslaving. 'Ik wil dit. Ik heb dit nodig. Ik moet dit hebben.'

Dit is het domein van het heftige verlangen. De hongerige geesten worden afgebeeld met een enorme buik en een smal nekje – ze willen eten, maar kunnen niet slikken; als ze proberen te drinken, verandert de drank in vuur en maakt hun dorst nog erger. De marteling van de hongerige geest is niet de frustratie omdat hij niet kan krijgen wat hij wil, maar dat hij zich zelf vastklampt aan dingen waarvan hij ten onrechte denkt dat ze hem bevrediging en opluchting zullen brengen.

Dus ik moet de wereld in en de Frons geeft me een zenraadsel mee als goede raad?
Geweldig.

Drie weken oefende ik om een echt mens te zijn.
'Luister. Al krioelt het op school van de kakkers, mafkezen en eikels, het is een wandelingetje in het park vergeleken met de maniakkenmeute.'
'Ik heb nog nooit in een park gewandeld,' zei ik.
'Dat is net zoiets als door het bos lopen, maar zonder de beren.' De Frons bekeek me eens goed. 'Misschien is het verstandig om je haar te laten knippen. Maar wacht ermee tot je bent verhuisd en de mensen in je nieuwe stad hebt gezien. We zijn hier in Alaska. Ik heb geen flauw benul wat jonge mensen in de echte wereld met hun hoofd doen.'
'Dit is heel bemoedigend,' zei ik.
'Wat je ook aantrekt op de eerste schooldag, het is verkeerd. Geloof me.'
'Zeg nog eens waarom dit goed voor me is?'
'Als je naar de tv kijkt om te weten wat er mode is, ben je veel te modern of hopeloos ouderwets. Trek maar een spijkerbroek aan en een niet al te net overhemd. De beste manier om vrienden te maken of in elk geval aardig gevonden te worden, is om hulp vragen. Je weet wel, je steekt je handen in de lucht en zegt: "Nou, het is duidelijk dat ik hierbij hulp nodig heb. In de rimboe weten we niet hoe we ons moeten kleden."'
'Werkt dat?'
'Ja hoor, gegarandeerd. Dan kan die ander zich lekker superieur voelen, door jou onder zijn hoede te nemen. Succes verzekerd. Maar je moet het wel met humor doen – niet zielig of klagerig.'

'Was jij populair op de middelbare school?'

'Ik was een nerd.'

'Dan heb je dit dus allemaal uit boeken?'

'Nee, ik heb goed gekeken naar de populaire kinderen. Ik was mager, droeg borrelglaasjes en speelde in het schoolorkest. Maar jij ziet er goed uit. Je bent lang en lenig, atletisch gebouwd, en als je niet jammert of erop los slaat, soms bijna geestig. Je hebt een kans.'

'Ja, ik zie er *echt* goed uit, hè?' zei ik spottend, terwijl ik me afvroeg of hij me alleen moed wilde inpraten of... Ik wist het echt niet.

'En dan ook nog zo bescheiden. Goed, de eerste dag. Iedereen staart natuurlijk naar de nieuwe jongen.'

'Met zijn belachelijke kleren.'

'Precies. Misschien zegt iemand iets rottigs over jou of je kleren. Dat is een knuppel. Het is belangrijk dat je je niets van hem aantrekt, of een grapje maakt.'

'Zodat ik niet de eerste dag al van school gestuurd word omdat ik heb gevochten,' zei ik.

'Ja, en ook omdat het niet cool is om aandacht te besteden aan knuppels.'

'O ja. Cool.'

'Je komt natuurlijk bijna elke les te laat omdat je niet weet waar je moet zijn. En dan moet je voor de klas staan terwijl de leraar je naam opschrijft.'

'En iedereen staart weer naar me.'

'Net als in de dierentuin als de gorilla moet poepen. Dan komt iedereen kijken.'

'Dus ik ben de hele dag gorillashit?'

De Frons lachte. 'Ja. Bereid je er maar op voor.'

'En dit doen mensen hun kinderen aan?'

'Met opzet,' zei de Frons.

'En dan zeggen ze dat *ik* gek ben.'

'Oké, iemand vraagt waar je vandaan komt. Wat zeg je dan?'

'De kooi met dolle honden?'

De Frons vond het niet grappig.

'Goed dan, ik zeg: "Alaska." ' Als dat niet genoeg is, vertel ik dat ik in de wildernis heb gewoond. En als ze nog meer details willen weten, begin ik over Alaska te vertellen – dat ik thuis les kreeg, en dan van alles over elanden, beren, sneeuw, en dat er geen iglo's zijn. Ik leid de aandacht af van details over mij die ze kunnen controleren.'

'Mooi. Je zou voor de CIA kunnen gaan werken.'

'Ja. Ik heb gehoord dat ze moordenaars zoeken.' Er viel een lange stilte.

'Kijk, dat is nou het voeden van je hongerige geesten,' zei hij toen.

Ik zakte onderuit in mijn stoel en wreef met mijn handen over mijn gezicht. 'Ik weet niet of ik dat helemaal heb begrepen.'

'Ik probeer geen boeddhist van je te maken, maar het idee sluit aardig aan bij de westerse therapie voor verslavingen. Elke verslaving is je hongerige geest. Drank, eten, anorexia, drugs of een emotionele behoefte. Wat is jouw hongerige geest, Wade?'

'Wade heeft geen geesten. Hij is splinternieuw.'

'Onzin. Hij draagt Kips ballast mee. Wat is Kips hongerige geest? En wat wil die hebben?'

'Dat weet ik niet,' zei ik.

'Schuldgevoel,' zei de Frons. 'Maar alleen de waarheid kan je hongerige geest het zwijgen opleggen en jou rust geven.'

Hij keek alsof hij nog iets van me verwachtte. Maar ik begreep het nog steeds niet.

'Wat wil jij zelf, Kip?'

Ik dacht lang na. 'Normaal zijn. Net als de anderen. Niet een kind verbrand hebben. Vergeten dat het is gebeurd, en gewoon leven.'

'Kan dat?' vroeg hij.

'Ik ga mijn schreeuwende best doen.'

Het plan was dat ik één minuut na middernacht zou worden vrijgelaten. Hoewel de dossiers van de rechtbank natuurlijk geheim zijn, lekt er altijd informatie uit. De kranten van Anchorage hadden al geschreven dat de kindermoordenaar zou worden vrijgelaten met een nieuwe identiteit. Carrie en mijn vader kwamen me halen. Dokter Schofield en Belinda waren er om afscheid te nemen.

Belinda gaf me een zakschaakspel. 'Je moet echt oefenen,' zei ze. 'En geen gorilla's meer bijten, hè?'

Ik glimlachte naar haar. 'Dokter, die vrouw heeft professionele hulp nodig voor dat bijtprobleem van haar.'

'Ik zou wel willen, maar ik durf niet,' zei hij.

Belinda trok een wenkbrauw op en keek hem dreigend aan. 'De man heeft gelijk. Ik *ben* gevaarlijk.' Ze omhelsde me lang en stevig.

Dokter Schofield gaf me een hand. 'Ga weg, leef en word gelukkig. Doktersvoorschrift.'

Heeft Wade een jongen in brand gestoken?

Hij heeft een kind vermoord.

Toen Wade een kind was heeft hij een ander kind doodgemaakt?

Nee, Wade niet. Ik ken geen Wade. Hij is Kip.

Kip?

Ik ken geen Kip.

Maar ik ken Wade toch ook niet?

Hij heeft opgesloten gezeten in een... wat was het ook alweer? Een inrichting voor gevaarlijke krankzinnigen?

Ze hebben allemaal vanaf het begin tegen me gelogen. Niet alleen Wade. Ook zijn vader en Carrie. Dit 'geheim' was zo vreselijk dat niemand zijn naam mocht weten, en verder ook niets. Over hen allemaal.

Hoe zouden ze echt heten?

Zouden ze bang voor hem zijn? Is hij nog gevaarlijk? Hij heeft jarenlang schuldgevoelens en woede opgekropt. Wat voor schade richt dat aan bij iemand die toch al beschadigd is?

Kun je iemand doden en dan zeggen: 'O, het spijt me zo,' en dan is alles weer goed?

Ik sloeg het tweede schrift dicht. Ik wilde niet verder lezen. Ik had al te veel gelezen.

Ik ging naar beneden om koffie te zetten.

Mijn vader zat aan de keukentafel en werkte aan zijn preek.

Ik ging zitten. 'Papa, ik wil met je praten over verlossing. Is dat mogelijk bij elke zonde?'

Hij trok zijn wenkbrauwen op. 'Gaat dit over jou?'

Nee, het ging niet over mij, maar door zijn vraag was ik even stil. Dat vatte hij blijkbaar op als een bevestiging.

'Verlossing wordt vaak verward met vergiffenis. Maar om jezelf te verlossen moet je veranderen, sterker worden, en soms moet je iets goedmaken als je iemand anders schade hebt toegebracht. Vergiffenis – daar heb ik zo mijn eigen gedachten over.'

Er sprongen tranen in mijn ogen. 'Heb je mij vergeven?'

Mijn vader legde zijn hand op die van mij. 'Ik weiger om iemand te vergeven, want dat zou betekenen dat ik zelf beter ben – dat ik het recht heb om een oordeel te vellen. Alsof ik nooit voor verleiding ben bezweken, of zal bezwijken. Wat een onzin.'

'Maar...'

'Ik weet alleen dat jou iets is overkomen wat je niet begreep omdat je te jong was. Zoiets is wel vaker gebeurd in mijn familie. Hoe kon jij weten waarmee je te maken had? Ik kan je niet vergeven. Als iemand valt en zich pijn doet, vergeef ik het hem dan? Nee, ik help hem overeind.'

Ik ademde uit. 'Ben je boos omdat ik niet meer naar de kerk ga, papa?'

'Kijk, dát heeft met vergiffenis te maken. Je hebt het jezelf niet vergeven. Je denkt dat je het niet verdient om in Gods huis te zijn.'

Ik verstijfde. 'Nee hoor, het gaat best met me. Ik weet wat er met me is gebeurd, en ik zit er niet meer mee.'

'En daarom verberg je je hier op het strand. Je zeilt, je gaat naar college en je studeert. De enige mensen met wie ik je heb zien praten zijn de nieuwe buren. Mensen die niets over je verleden weten.'

Had ik tegen hen dan net zo gelogen als zij tegen mij?

Ik was het gesprek begonnen omdat ik me afvroeg of Wade ooit voldoende geboet kon hebben voor wat hij had gedaan. En nu vroeg ik me af of ik mezelf vergeven had.

Het is nooit gemakkelijk. Er is nooit een rechte weg.

Ik zette koffie. Ik had nog heel wat te lezen.

DEEL 2

Indiana

Ik was Wade Madison en had papieren om het te bewijzen. De zoon van Jack en Carrie Madison. Nieuwe inwoners van Whitestone, Indiana. Ik had een nieuwe rugzak, een lesrooster en hopeloos foute kleren. In Alaska dragen ze houthakkershemden. Indiana deed alleen aan T-shirts met lange mouwen. Ik had de verkeerde schoenen. Gelukkig was ik daarop voorbereid.

Blijkbaar gebeurde er in Whitestone niet vaak iets nieuws, want iedereen staarde naar me toen ik in de bus stapte. Het hielp niet toen een jongen die hooguit tien leek, zijn voet uitstak in het middenpad en ik erover struikelde. Even had ik zin om zijn been af te breken bij de knie, zodat hij het in zijn rugzak kon stoppen. Maar ik beheerste me, terwijl sommige kinderen in de bus lachten en andere bleven staren. Ik ging achterin zitten, zodat ze in elk geval moeite moesten doen om naar me te kijken.

Tegen de tijd dat ik mijn locker had gevonden, waren mijn hopeloos foute kleren en schoenen geen theorie meer, maar een feit. 'Zou hij op straat leven?' was nog een van de aardigste flarden conversatie die ik opving in de gangen. Pas bij mijn vijfde poging had ik door hoe het combinatieslot werkte, en ik zweette en had een rooie kop toen ik als een stomme ezel in de hal stond en me afvroeg waar gang C in vredesnaam was.

Uiteindelijk was ik tien minuten te laat voor mijn eerste les: Engels I – een soort combinatie van lezen, schrijven en wat de lerares verder nog kon verzinnen om de geest van eersteklassers te verruimen.

Ik gaf haar de kaart met mijn gegevens.

'Wow, Alaska. Jij bent ver van huis.'

Ik knikte. Ze dacht tenminste dat ik een huis *had*. Ik keek even naar de klas en begon weer te blozen en te zweten. De meeste kinderen staarden naar me alsof ze dachten dat ik onder een brug vandaan was gekropen.

'Wat brengt je hier, Wade?' vroeg de lerares.

Ik had het 'Wade' nu onder de knie. En mijn verhaal ook. 'Mijn stiefmoeder had genoeg van de donkere winters. Daarom heeft mijn vader hier werk gezocht.'

'Ik zie dat je thuis les hebt gehad.'

Was het zweet zichtbaar? Had ik grote kringen onder mijn oksels? Kon de aarde me alsjeblieft verslinden?

'We woonden nogal ver weg in de bossen, niet in een dorp. In Alaska komt thuis leren veel voor.' Dat laatste klonk niet erg spontaan. De Frons en ik hadden een beetje te veel geoefend.

'Ga zitten, Wade. Neem die lege bank maar.' De lerares grijnsde alsof ze een stand-up comedian was. Dit werd een lange dag.

'Mevrouw Bales?'

'Ja, Justine?'

'Mogen we de nieuwe wat vragen over Alaska?'

'Wil je dat, Wade? Ik moet bekennen dat ik ook nieuwsgierig ben.'

Kom maar op, gebaarde ik door mijn kin in de lucht te steken.

'Mooi zo. Jullie mogen Wade vragen stellen. Zeg eerst even hoe je heet, voordat je iets vraagt.'

Een jongen met een enorm vierkant hoofd en zulk licht en kort haar dat hij kaal leek, begon. 'Hoi, ik ben Dave. Woonde je in een, uh, iglo?'

De lerares rolde met haar ogen.

Zou ik ooit weer kunnen gaan zitten?

'Nee, we woonden in houten huizen, niet in iglo's. Het is me opgevallen dat er hier veel huizen van baksteen zijn. Die hebben we in Alaska bijna niet.'

'Heb je weleens een ijsbeer gezien? Ik ben Justine.'

'Nee, wel zwarte beren en een paar grizzly's.' Even zag ik Jackpot met zijn dode ogen voor me, en de Cowboy met die tandenborstel. In die vier jaar in de inrichting had ik wel engere dingen gezien dan ijsberen.

'En pinguïns?'

'Je naam graag?' zei mevrouw Bales.

'Brandon.'

Ik schudde mijn hoofd. 'Pinguïns, Zuidpool. Alaska, Noordpool.'

Een paar kinderen lachten. De jongen die Dave heette fluisterde 'stomme eikel' achter zijn hand, en een meisje dat er verdomd goed uitzag zei 'duh'. Vreemd genoeg blies ze daarna een kusje naar de stommeling.

Het gestaar had plaatsgemaakt voor echte belangstelling, en ik voelde me niet meer zo'n trol als eerst. Ik vroeg me af of ik nog een rooie kop had.

'Hoe koud wordt het? Ik ben Amber.'

'In het binnenland zijn een paar dagen veertig of vijftig graden onder nul niets bijzonders.'

'Ga weg!'

'Dank je, Anthony,' zei mevrouw Bales. 'Maar Wade, kun je wel ademen als de lucht zo koud is?'

Ik had sinds mijn negende niet meer in het binnenland gewoond, maar ik herinnerde me dat mijn moeder een wollen sjaal rond mijn neus en mond wikkelde voordat ze me meenam, de kou in. Opeens verlangde ik ontzettend naar ons oude huis. Naar de eland die voor mijn raam aan de wilgentak knabbelde. Naar mijn moeder. En zelfs naar de veiligheid van de spreekkamer van de Frons.

'Hm, ja, dat soort kou kan je longweefsel beschadigen. Je moet iets over je neus en je mond hebben en daar doorheen ademen om de lucht warmer te maken. Of eigenlijk kun je beter binnen blijven. Als het zo koud is, zijn de meeste mensen in Alaska slim genoeg om ergens te blijven waar het warm is.'

'Ik zou graag nog willen weten hoe lang het donker blijft, en daarna moeten we verder met de les,' zei mevrouw Bales.

'Het hangt ervan af waar je bent in Alaska. Hoe verder naar het noorden, hoe groter het verschil. In het binnenland heb je midden in de winter ongeveer drie tot vier uur daglicht. En in de zomer is het maar twee of drie uur donker, en dat is niet eens echt donker.'

'Midden in de nacht basketballen! Leuk,' zei Dave.

Ik knikte, al had de maniakkenmeute 's nachts niet vaak gebasketbald.

Mevrouw Bales zette de klas aan het werk met een leesopdracht en riep mij bij zich om me een lijst te laten zien van wat ze dat jaar al hadden gelezen. Ik bekeek de lijst en zag dat ik lichtjaren voor lag op deze klas.

'Dit is geen probleem. Als je thuis les krijgt, heb je veel tijd om te lezen.' Ik wees één titel aan. 'Dat is de enige die ik niet heb gelezen.'

'Goed, als je de verhalen van Poe waar de klas nu aan werkt al kent, lees jij dan maar *Het licht in het woud*. Als je het uit hebt, zal ik je een schriftelijke opdracht geven, om te zien hoe goed je schrijft.'

Ze haalde een versleten pocket uit een kast en ik sjokte ermee naar mijn plaats. Mijn eerste les was amper tien minuten bezig en tot nu toe was de school een hindernisbaan van emoties, maar zonder iemand om me een papieren bekertje met lithiumpillen te geven. Toen ik op de bus stond te wachten, leek het onmogelijk dat ik ergens naartoe ging waar zoveel normale mensen waren. Het staren, het pootjehaken en de opmerkingen in de hal leken op de een of andere manier gemener dan bijna alles in de inrichting. Maar behalve die korte aanval van heimwee was de rest min of meer gegaan zoals de Frons had gezegd.

Nu kon ik een dubbeluur lang vluchten in *Het licht in het woud*. Toen de bel ging, keek ik op mijn rooster waar ik nu naartoe moest. De jongen met het vierkante hoofd bleef bij mijn tafeltje staan. 'Laat eens zien,' zei hij terwijl hij naar mijn roosterkaart wees. Ik gaf hem de kaart, en hij wapperde ermee en zei: 'Wie heb jij vermoord, man? Ze hebben je zwaar gestraft.'

Ik kreeg koude rillingen en mijn hart sloeg over. Toen begreep ik dat het niet letterlijk bedoeld was.

'Het zal wel zijn omdat je thuis les hebt gehad en overgeplaatst bent uit Siberië of zo – maar ze hebben je ingedeeld bij de zombies.'

'Is het lokaal in deze gang, of ergens anders?'

'Ik loop wel even met je mee. Dat scheelt me een deel van de discussieles. Daar heb ik de pest aan.' Hij gaf me mijn rooster terug en wenkte dat ik mee moest komen. Ik greep snel mijn rugzak en probeerde hem bij te houden.

'Ik kom niet uit Siberië. Ik kom uit Alaska,' zei ik.

'Ja, cool. Wat je zegt. Luister, dit is belangrijk. De meesten van ons doen geschiedenis van Indiana in groep acht, en het stelt geen flikker voor, maar je moet het halen. Anders gooien ze je de staat uit of zo. Dus als je een stomme eikel bent of je hersens geweld moet aandoen om tot eenentwintig te tellen, dan moet je het misschien in de eerste nog eens doen. Daarom geef ik je gratis advies. Er zit een stel echte weirdo's in je klas. Bloedzuigers die het heerlijk vinden om een nieuwe te verwelkomen. Als ik zulke rare schoenen aanhad, zou ik mijn tijd uitzitten en geen vrienden proberen te maken. Maar als je aan de drugs bent, is het de juiste plek om te scoren.'

Hij haalde adem. Mijn hart had weer de hik.

'Nou?' vroeg hij.

'Wat nou?' vroeg ik.

'Ben je aan de drugs?'

Ja, ik ben dol op farmaceutica, maar ik krijg ze altijd van de dokter, wilde ik zeggen.

'Nee hoor, maar ik begrijp iets niet.'

'Wat?'

'Waarom heb *jij* in vredesnaam een hekel aan discussieles?'

Dave met zijn vierkante kop lachte als een vrachtauto met een slechte uitlaat. 'Omdat de lerares die *andere* lui de hele tijd laat praten.' Hij wees naar een deur. 'Ik wil niet te dicht bij die klas komen. Dat is slecht voor mijn cool-factor.'

Een van de weirdo's liep langs ons naar de klas. 'Heb je die schoenen van een dakloze geroofd, loser?'

Ik keek even naar Dave. Toen zei ik tegen de weirdo: 'Ik heb ze geërfd. Het waren oma's lievelingsschoenen.'

Wat me vooral opviel bij geschiedenis van Indiana, was de enorme hoeveelheid eyeliner en tattoos. Het was even wennen dat de jongens de eyeliner op hadden, terwijl ik de tattoos vooral bij de meisjes zag. De jongens leken op stripfiguren, met halsbanden om hun polsen en nek, leren jacks en dikke strepen eyeliner. Zwart, neon en glitter. Had een hele sekte van aan Maybelline verslaafde XY chromosomen besloten te zakken voor geschiedenis van Indiana? Of leidde het zakken voor geschiedenis tot dit soort gedrag? Was oranje eyeliner mijn toekomst?

Toch herkende ik iets in deze klas. Het was stil. Niet omdat iedereen hard aan het werk was, maar omdat de stekker eruit was. De meeste van mijn klasgenoten zaten afwezig te krassen, sliepen, of staarden met lege ogen voor zich uit. Ze waren niet ingeplugd. Ik pakte mijn boek en las over de geschiedenis van Indiana. Ik zou nog liever eyeliner opdoen en een tattoo laten zetten dan vergeten te leven.

Toen de bel ging, liep ik de klas uit en keek op mijn rooster waar ik naartoe moest. Opeens werd het rooster uit mijn hand gerukt. Vroeger zou ik eerst geslagen hebben en nooit iets hebben gevraagd, maar ik klemde mijn kiezen op elkaar en keek wie mijn rooster had gepakt.

'Hé, woudloper.' Het was blokhoofd Dave.

Ik ontspande en haalde diep adem om te kalmeren.

'Ik heb tegen de discussielerares gezegd dat ik hulpmentor ben van een nieuwe leerling.' Hij gaf me het rooster terug. 'Kijk niet zo. Ik zit in de leerlingenraad. Ze slikte het helemaal. En zeg nou zelf – jij bent net het hondje in het asiel dat zo lelijk is dat hij bijna weer leuk is. Als ik niet een beetje op je pas, verslinden de grote honden je voor het middag is. Nee, je hoeft me niet te bedanken. Betaal me later maar.'

'Dus ik moet jou betalen omdat je me een lelijke hond noemt?'

'Dat is nou weer lullig gezegd.'

Hij wenkte dat ik mee moest komen en ging er meteen vandoor. Ik hees mijn rugzak op mijn schouder en volgde hem, omdat ik het lelijke hondje was in het asiel.

'Algebra. Geen rekenen voor stommelingen. Dat thuis leren is blijkbaar gelukt. En je hebt de leraar die iedereen wil. Weinig huiswerk. Ik breng je naar binnen, dan ziet het gajes dat je onder mijn bescherming staat. Het komt goed.'

Hij liep met grote stappen de klas in. 'Hé, meneer Schultz. Dit is de nieuwe. Hij komt uit Siberië.'

'Alaska,' zei ik.

'Dat is toch hetzelfde,' zei Dave. 'Hij kan mooie verhalen vertellen over sneeuw en zo.'

'Dank je, Dave. Heb je deze jongeman geadopteerd of is er een toets waarvoor je graag te laat komt?'

'Een absentiebriefje is nooit weg, meneer S. Ik ben hulpmentor van Wade als onderdeel van mijn werk voor de leerlingenraad...'

'Dat betwijfel ik ten zeerste, Dave, maar ik doe alles om van jou af te komen, behalve betalen. En misschien ben ik zelfs daartoe bereid.' Hij gaf Dave een briefje. 'Vooruit, maak dat je wegkomt, voordat ik alle hoop voor de toekomst van je generatie verlies.'

Dave salueerde spottend en slenterde de klas uit. Schultz maakte een wegwuifgebaar en zei: 'Opschieten, lummel.'

Meneer S. was vrij jong, ongeveer zo oud als mijn vader, en de oudemannenpraat paste helemaal niet bij hem. Het leek wel of ze het samen hadden geoefend.

Ik gaf Schultz mijn kaart. Hij zette zijn paraaf en gaf me een boek. 'Zo, waar heb je mijn zoon ontmoet?'

'Is blokhoofd... uh, Dave uw *zoon*?'

'Ja. Dat blokhoofd heeft hij van mij. Ik begrijp dat je dat nog niet wist.'

'Hij heeft er niets over gezegd, meneer.'

'Vergeet het dan alsjeblieft onmiddellijk. Het kind is niet goed wijs. Ga zitten, en vertel ons iets over Alaska.'

Daarna kreeg ik weer dezelfde vragen, over ijsberen, pinguïns, de kou en het donker. Maar deze keer had ik het gevoel dat ik zelf antwoord gaf, en niet meer dat ik teksten opzei uit een toneelstuk dat de Frons en ik hadden geschreven.

Ten slotte durfde ik zelfs Schofields theorie te testen en me over te leveren aan hun genade.

'Jullie zullen me een beetje moeten helpen. Omdat we toch in de wildernis woonden, kon het ons niet schelen wat we aanhadden. Als het maar warm was. Iemand moet me leren hoe jullie dat hier doen. Houthakkershemden en stevige stappers zijn in Indiana niet erg in, geloof ik.'

Het allerleukste meisje in de klas zei: 'Hé, ik kan shoppen als Victoria Beckham. Ik zal je helpen.'

De Frons was een genie.

'Mijn zoon is heel vaardig in het besteden van andermans geld,' zei meneer Schultz. 'Bovendien zou hij dit weekeinde karweitjes verrichten voor zijn moeder. Daarom ben ik ervan overtuigd dat hij het van cruciaal belang vindt om ook zijn assistentie te verlenen.'

Ik weet niet waarom die man zo praatte, maar ik kon er wel om lachen. In gedachten zag ik hem voor de klas staan bij de maniakkenmeute. Ik had weleens een gesprek willen horen tussen meneer Schultz en K'nex.

Schultz gebruikte zijn vreemde woordenschat en formuleringen met gevoel voor humor en hij scheen te denken dat we intelligent genoeg waren om hem te begrijpen. De klas beantwoordde dat compliment. Ik kreeg een déjà vu gevoel, alsof ik weer bij de Frons op mijn stoel zat en we een van onze gesprekken hadden.

Toen ik naar gym moest, kreeg de dag weer last van stemmingswisselingen. Ik had al eerder gehoord dat de mensen daar in het Midwesten 'stevig gebouwd' waren, maar daar zijn toch grenzen aan? Die lui in sportbroekjes hadden bicepsen en dijspieren die groter waren dan mijn hoofd.

Ik was nieuw en mager. Een *doelwit* dus.

Ik had al een broekje en een T-shirt gekocht, maar nog geen gymschoenen. Het was heel belangrijk dat je het goede soort sportschoenen had, had de Frons gezegd, en ik moest eerst kijken wat de inboorlingen droegen, voordat ik zelf nieuwe kocht. Dus hield ik bij de eerste gymles mijn gewone schoenen aan.

We deden een brave vorm van trefbal, waarbij je elkaar alleen onder de knie mocht raken. Maar ook tussen je knieën en je tenen ligt een zee van pijn, als ze je een lesje willen leren.

Wham! 'Hé, nieuwe, deed dat pijn?'

Beng, pats! 'Alaska, ga toch naar huis. Dan kun je er sneeuw op doen.'

Boem! 'Hadden jullie thuis geen gymzaal?'

Baf! 'Hé joh, je komt niet vooruit met die stomme schoenen. Zo is er geen flikker aan.'

En dat was nog maar het begin van de ellende. Na de les hinkte ik naar de douches, en toen ik eruit kwam was mijn handdoek weg. Ik veegde het water zo'n beetje van me af en probeerde me er niets van aan te trekken. Maar toen ik naar de bank liep, hingen mijn kleren er ook niet meer. Mijn hoofd begon hard te bonzen, maar ik schudde de woede van me af zoals ik dat met de waterdruppels had gedaan.

De paar jongens die nog rondhingen om van het schouwspel te genieten, haalden hun schouders op en gaven elkaar een high-five terwijl ze wegliepen. Ik zat naakt als een geplukte kip te rillen toen de volgende klas binnendruppelde.

'Wil een van jullie vragen of de gymleraar even komt?'

'Luister, jongen, ik laat die kleine etters allemaal hier bij me komen en dan heb ik binnen twee minuten je kleren terug en kunnen zij nablijven.'

Ik wist niet hoe dat op de middelbare school ging, maar in de inrichting had zoiets mijn dood kunnen worden. Ik zat in een afgedankt trainingspak en met blote voeten in de kamer van de gymleraar.

'Zou u dat alstublieft niet willen doen?'

'Het is mijn werk.'

'Ja, dat begrijp ik. Maar het is ook uw werk om uw leerlingen te helpen. Ik ben een leerling van u en ik vraag u om hulp.'

'Dan komen die jongens er erg makkelijk vanaf. Het is toch om razend van te worden?'

Ik keek omlaag naar mijn blote voeten. Razend? Dat was nog zacht uitgedrukt, maar mijn geesten hadden honger en ik wilde ze voeden.

'Mag ik het zelf oplossen? Alstublieft?'

De gymleraar sloeg met zijn handpalmen op het bureau. 'Wil je het pispaaltje zijn? Ga je gang.'

'Ik heb nog een paar lessen. Dit trainingspak dat u me hebt geleend, is prima.' Het was een paar maten groter dan kolossaal, de mouwen schoven over mijn handen, de pijpen zaten dubbel en het kruis hing tot op mijn knieën. 'Maar ik moet nog iets aan mijn voeten hebben.' Ik wees naar een paar rubberlaarzen in de hoek. 'Als u ergens een paar sokken hebt, kan ik die wel dragen.'

'Mijn laarzen? Wil je de gang op lopen in dat trainingspak en met laarzen aan die twintig maten te groot voor je zijn?'

Ik knikte.

'Je bent een vreemde vogel, jongen.' Hij bleef een paar minuten weg en kwam toen terug met een paar dikke sokken. Hij gooide ze in mijn schoot en zette de laarzen naast mijn stoel.

Ik kwam natuurlijk mega-laat bij computerles. Een paar van de rotzakken van de gymles waren er ook. De leraar knipperde even met zijn ogen toen hij mijn plunje zag, maar hij zei niets. Niemand zei iets. Ik hoefde geen vragen over Alaska te beantwoorden.

Na de les kloste ik met mijn te grote laarzen door de gang. Als ik eraan kwam, week de menigte vanzelf uiteen. Ik hield mijn schouders naar achteren en probeerde zelfverzekerd te lopen. Door mijn zevenmijlslaarzen zag dat er nogal spastisch uit, maar ik hield mijn hoofd omhoog en schonk iedereen die oogcontact durfde te maken een glimlach en een vriendelijk knikje, alsof dit de voorgeschreven kledingstijl was.

Toen ik bij aardrijkskunde kwam, liep het allerleukste meisje van de klas (die van algebra) achter me naar binnen.

'O, mijn god.' Ze bekeek me van alle kanten. 'Het is niet mogelijk. Je ziet er nog erger uit.' Ze trok mijn kaart uit mijn hand en legde hem op de tafel van de lerares. 'Mag hij naast me zitten, mevrouw Strohm?' vroeg ze. 'Zo te zien heeft hij een zware dag gehad.'

De lerares zette haar paraaf. Ze gaf geen krimp toen ze mijn outfit zag. 'Vergeet niet achter in de klas een boek te pakken,' zei ze alleen.

'*Wie* heeft *wat* met je gedaan?' vroeg Allerleukste terwijl ze een boek voor me haalde en me naar een bank loodste. 'Heeft iemand je schoenen afgepakt?'

Ik ging zitten zonder iets te zeggen.

'En je kleren ook?'

Ik hield mijn handpalmen omhoog.

'Heeft iemand je... vastgebonden of... O, mijn god. Je hebt gym gehad, hè?'

'Kalm maar. Als je ogen uit je hoofd vallen, weet ik niet hoe ik ze er weer in moet stoppen,' zei ik. 'Dan komen ze misschien ondersteboven of verkeerd om of zo.'

Ze draaide zich om in haar bank. En weer terug. 'Die schoenen... Nou ja, die kun je wel missen. Toch was het gemeen.' Ze glimlachte naar me.

Dat was beter.

Ik nam de bus en verdroeg de rit naar huis. Ik deed of ik een zee-hond was die onderdook, en sloot alle geluiden buiten, terwijl ik de plussen en minnen van de dag nog eens naliep. Walgende blikken – min. Tussen mensen lopen die niet overduidelijk psychopaten waren – plus. Struikelen in de bus – min. Me dom, verloren en vreemd voelen – min. Vijandig commentaar opvangen – heel erg min. Vijandig gestaar zien veranderen in belangstellende blikken – plus. Een rare maar best aardige jongen die zich aanbood als geleidehond – plus. Een paar geschikte leraren – plus. Geen ziekenbroeders die met me door de gangen liepen om afgesloten deuren open te maken – erg plus. Het mikpunt zijn bij trefbal – min. Naakt op een bank zitten – min. Een oud trainingspak en laarzen van de gymleraar dragen – zo min dat je zou vergeten dat er ook plus bestaat. De brede glimlach van Allerleukste – zo plus dat ik niet eens meer weet wat min is. En dit was nog maar de eerste dag. Zo was het in de inrichting nooit.

Tegen de tijd dat Carrie thuiskwam van haar werk, had ik het trainingspak en de sokken gewassen en gedroogd, en droeg ik weer mijn eigen kleren. Ik bedacht dat ik de volgende dag met een paar mocassins naar school moest, toen de telefoon ging.

'Hé, Siberië. Schud je zwarte ziel wakker. Ma komt je over een halfuurtje halen om ons naar het winkelcentrum te brengen. Als jouw moeder mee wil komen om de geldstroom in de gaten te houden, is dat oké, zegt ze. Ze wil haar graag leren kennen. Lindsey zien we daar.'

'Ben jij het, Dave?'

'Ik heb begrepen dat we het kiezen van nieuw schoeisel niet aan jou kunnen overlaten.'

'Zorg jij voor alle zwerfhonden die je op school tegenkomt?'

Hij zuchtte. 'Lindsey belde me.'

'Wie is Lindsey?'

'Je weet wel – brede glimlach, grote ogen, bloedmooi, bij jou in de klas met algebra en aardrijkskunde?'

'O, die.' Allerleukste. Wow.

'Ja, die. Ze belde en vertelde me over de laarzen en het trainingspak. Ik vertelde het aan pa. Hij belde de gymleraar. Die zei dat je niet wilde praten en ook niet wou dat hij zelf uitzocht wie je spullen had weggepakt. Dat vertelde pa aan ma. Ma zei dat ik je moest bellen. Ik vertelde haar over Lindsey. Zeg, zo is het toch wel genoeg? Kom op, ma trakteert op pizza in het winkelcentrum.'

'Ik zal het even vragen.'

Tegen achten waren we nog in het winkelcentrum. Carrie was met mevrouw Schultz naar een Starbucks en ik zat pizza te schransen met Dave en Allerleukste. Ik had een stel tassen met T-shirts met lange mouwen, een paar nieuwe spijkerbroeken die er niet zo wildernissig uitzagen, een sweater met een capuchon, en de voorgeschreven sportschoenen die in mijn prijsklasse vielen.

Drie jongens die ontzettend op elkaar leken, glimlachten, zwaaiden en kwamen onze kant op.

'Hé, hoe gaat het, Schultz? Lindsey? Hoi.' Dat laatste tegen mij. Eén schoof erbij op de bank en de twee anderen pakten een stoel, draaiden hem achterstevoren en gingen zitten met hun armen op de leuning.

'Wade, dit zijn de drie B's.'

Een van de B's rolde met zijn ogen. De twee anderen reageerden helemaal niet.

'Ik ben neef Brett,' zei de ogenroller. 'Een maand ouder dan deze twee, en veel knapper.'

Een van de jongens die op een stoel hingen, stak zijn kin iets omhoog en zei: 'Brandon. Ik zit bij je in de klas met taal.'

'Brendan,' zei de ander.

'Brandon en Brendan zijn tweelingen,' zei Lindsey.

'De ouders van de B's hebben samen een tuincentrum, dus hebben ze zo ongeveer bij elkaar in de box gezeten. Als je er één ziet, zijn de twee anderen niet ver weg,' zei Dave. 'Je hoeft hun namen niet te onthouden. Je roept gewoon "B!" en dan geeft er wel eentje antwoord. En, o ja, ze hebben godsdienst min of meer uitgevonden, dus vloek maar niet waar ze bij zijn. Als een van ze een lelijk woord hoort, valt hij flauw, en als de anderen het zien, gaan ze ook als dominostenen tegen de vlakte.'

De jongen op de bank (Brett?) wees met een vinger naar Dave en kneep een oog dicht. 'Het feit dat Schultz nog steeds rondloopt op deze aarde, bewijst dat er een genadige God bestaat.'

'Ik heb je vandaag op de gang gezien,' zei een van de B's op de stoelen. 'De hele school weet wie je kleren heeft weggepakt, man. Maar jij liep door die gangen alsof er niets aan de hand was. Goed gedaan.'

'Weet de hele school het?'

'Het is maar een kleine stad en er is niets te doen behalve kletsen. Jij bent nieuw en was reuze interessant vandaag,' zei Dave.

Geweldig. Ik wou onder de radar vliegen, niet opvallen, me gedeisd houden. En nu was ik het gesprek van de dag.

'Hoor eens, ik wou alleen niet te veel drukte maken. Zo erg was het niet.'

'Ben je een soort Gandhi of zo? Dat was toch die man die geen vlieg kwaad deed en in een luier liep?' Dit kwam van Dave.

'Ja, zo ben ik.' *De woedekoning van de maniakkenmeute, de jongen die een ander kind had verbrand, vergeleken met een man die niet op een mier wilde stappen.* Ik haalde mijn schouders op. 'Wat doet het ertoe? Lindsey zei dat die schoenen toch weg moesten.'

'Zeker weten. Je bent leuk, maar niet leuk genoeg om van die schoenen te winnen.'

Dave schraapte zijn keel. 'Vrolijk kijken, allemaal. Moeders voor de boeg. Naderen snel,' zei hij.

Nadat we allemaal afscheid hadden genomen, liepen Carrie en ik naar de auto.

'Nu hij bijna voorbij is, hoe was je eerste dag?' vroeg ze.

Ik dacht even na. 'Het viel mee. Een paar mensen waren erg vervelend tegen me en een paar andere juist heel aardig. Ik geloof dat het wel kan lukken hier.'

'Volgende week krijg ik mijn salaris. Je hebt meer shirts nodig.'

'Dank je, Carrie.'

'Ik zag dat het leuke meisje zag dat je naar haar keek.'

'Carrie...' zei ik waarschuwend.

'Het was gewoon zo.'

'Nee hoor. Misschien keek zij naar mij, maar ik lang niet zoveel naar haar.' Ik wreef met de rug van mijn hand langs mijn neus. 'Oké, ik zag dat ze leuk is.'

Carrie glimlachte naar me.

'Carrie, mag ik je iets raars vragen?'

'Hmmm, ik hoop dat ik veertien-jaar-raar nog kan volgen.'

'Nou ja – ik ben in een nogal vreemde omgeving opgegroeid.'

'Dat is zacht uitgedrukt,' zei Carrie.

'Iemand... nou goed, het leuke meisje zei vandaag dat *ik* leuk was. Maar ik weet het echt niet. Schofield zei dat ik er goed uitzag, maar dat hoort bij de therapie. Om me zelfvertrouwen te geven. Maar het meisje? Is dat echt zo, of hield ze me voor de gek?'

Carrie bleef staan en keek me aan. 'Weet je, het klopt eigenlijk wel dat je twee namen hebt. Je bent die jongen die veel te volwassen is, een therapeutische manier van denken en praten heeft en altijd zijn eigen emoties analyseert.' Ze zuchtte en glimlachte. 'Maar je bent ook de jongen die zo naïef is. Omdat je nooit in de echte wereld hebt geleefd. Je bent net een vogeltje dat uit het nest is gevallen.'

Ze klopte zacht met haar knokkels op mijn hoofd en liep weer verder. 'Het antwoord is ja, Wade, je bent leuk. Dat meisje hield je echt niet voor de gek. Je bent wat meisjes volgens mij een "spetter" noemen. Je lijkt op je vader, en geloof me, ik heb geluk gehad dat ik hem heb kunnen strikken.'

'Pa? Ziet pa er goed uit?'

Carrie wierp haar hoofd naar achteren en lachte. Voluit en blij. 'Hij is een lekker ding, joh.'

'Gatver, Carrie, dat wil ik niet weten.'

'Je bent er zelf over begonnen. Het is mijn schuld niet als het uit de hand loopt.'

Terwijl we naar huis reden, vroeg ik me af wat de Frons had bezield. Hij had me voorbereid op de kleren, en de vragen, en me gewaarschuwd voor verkeerde vriendschappen. Maar hij was iets heel belangrijks vergeten.

Vrouwen.

Hormonen.

Hoe kon ik me herinneren wat Schofield had gezegd als al mijn gedachten in mijn broek zaten?

En er doemde nog een gevaar op aan de horizon. Misschien wilden de jongens die mijn kleren hadden weggepakt, me morgen weer te grazen nemen.

Kon Wade dat aan? Of zou Kip, die jongen uit de maniakken-meute, dan zijn gezicht laten zien?

De volgende ochtend stapte ik in de bus en ging zitten zonder de anderen aan te kijken. We maakten een laatste stop op een hoek van een nieuwbouwwijk, en er drong een meute kinderen naar binnen.

'Schuif eens op, maat.'

Een van de krachtpatsers zonder nek die me bij trefbal hadden mishandeld torende boven me uit.

Ik schoof opzij en Nekloos plofte naast me neer.

'Wat zit er in die tas?' vroeg hij.

'Het trainingspak en de laarzen van de gymleraar.'

'Trek je ze vandaag niet aan?'

'Dat hangt ervan af of mijn kleren weer verdwijnen, lijkt me.'

Nekloos maakte een soort schommelende beweging. Dat moest waarschijnlijk een knikje voorstellen. Als je geen nek hebt, wordt knikken lastig.

Hij bekeek mijn kleren en leunde naar voren om mijn schoenen te controleren.

'Vandaag lijk je een van ons.'

Ik leunde achterover en glimlachte.

'Er is twintig kilo spieren en een volledige verandering van erfelijke aanleg nodig voor ik zelfs maar in de verte op jou lijk. Ik ben een worm, en jij een anaconda.'

Nekloos grijnsde. 'Je begint net zo te klinken als Schultz. Heb je zijn vader voor algebra? Die heeft gestudeerd met een basketbalbeurs, maar hij praat als een woordenboek. Ik vind het leuk om naar hem te luisteren.'

Ik hield mijn hoofd scheef en bekeek Nekloos aandachtig.

'Wat nou? Je kijkt naar me alsof ik een Neanderthaler ben, en de verdere evolutie heb gemist.'

'Je smeet die bal naar me alsof je met stenen gooide. En je hebt mijn kleren gestolen. Dat is nogal simpel gedrag.'

'Ik heb je kleren niet gestolen, maar ik heb het wel zien gebeuren. Ben ik dan een van de daders?'

'Dat is... ingewikkeld,' zei ik.

'Waarom heb je geen herrie geschopt bij de gymleraar?'

Ik dacht even na. 'Wat schiet ik daarmee op?'

'Je hebt een hoop punten gehaald gisteren. Je hebt niet gekletst. Je hebt niet om je mammie geroepen en bent niet naar huis gegaan. Je zag er idioot uit met die laarzen, maar je deed of het je niets kon schelen. Dat was cool.'

Kon dit waar zijn?

'Nou, wat ik heb gedaan – dat smijten met de bal en toekijken terwijl ze je kleren wegpakten – dat was stom.'

'Bedankt.' De bus hotste verder. Ik wist niet wat ik nog meer kon zeggen. Ten slotte zei ik: 'Ik heet Wade.'

'De meeste jongens noemen je Alaska,' zei Nekloos.

'Siberië,' antwoordde ik zonder na te denken.

'Sorry, dan heb ik het verkeerd gehoord. Ik ben Jay,' zei Nekloos.

De bus kwam reutelend tot stilstand bij de school. 'Siberië,' zei Jay terwijl hij opstond, 'je hoeft je vandaag geen zorgen te maken over je kleren.'

'Fijn om te weten,' zei ik.

'Het is niks.'

O nee? dacht ik terwijl ik naar mijn locker liep. Als je een eeuwigheid als een natte geplukte kip op een harde bank hebt gezeten, denk je daar anders over.

Ik verheugde me bijna op geschiedenis van Indiana, omdat die klas zo leek op de maniakkenmeute – de meesten waren amper bij bewustzijn of deden hun uiterste best om te laten merken dat ze tegen waren. Daardoor voelde ik dat het met mij de goede kant opging, als ik normaal wilde worden. Maar ik begreep ze nog goed genoeg om kalm aan te doen en ze niet als weirdo's te behandelen.

Een jongen die zelf een cirkel met een schuine streep op zijn jukbeen had getatoeëerd, kwam op me af toen ik de tweede dag de klas binnenging.

'Ik heb het gehoord van je kleren. Ik kan de dief te grazen laten nemen.'

'Dat hoeft niet,' zei ik met een flauwe glimlach. Hij was lang niet zo angstaanjagend als de jongens met wie ik was opgegroeid.

Hij wees op zijn tattoo. 'Dat betekent *niet doen. Niet doen, of ik grijp je.* Ik kan met die jongen afrekenen.'

'Afrekenen? Wil je iemand vermoorden om een overhemd?'

Hij deed een stap achteruit. 'Vermoorden! Shit, waar kom jij vandaan? Ik bedoelde in elkaar slaan.' Hij ging terug naar zijn bank, met een verwarde blik. Zo te zien wist hij niet zeker of ik een grapje maakte.

Nou had ik iemand de stuipen op het lijf gejaagd die vijandigheid op zijn gezicht had staan. Ik moest beter opletten wat ik zei. Altijd vooruit denken. Met *mijn* geheim moest ik voortdurend op mijn hoede zijn.

De volgende hindernis was gym. Ik haalde de tas uit mijn locker en gaf de leraar zijn spullen terug. 'Bedankt voor het lenen. Het is allemaal gewassen.'

'Ai, dat had je nou niet moeten doen,' zei hij. 'Het duurt eeuwen voor het weer lekker ruikt. Ik hoorde dat je een nieuwe mode hebt ingevoerd.'

Ik grijnsde. 'Ik hoop dat het vandaag niet weer hoeft.' Ik liep zijn kamer uit, naar de kleedkamer. Op de bank lagen mijn spijkerbroek en mijn houthakkershemd, netjes opgevouwen. Ernaast stonden mijn oude schoenen.

Schofield had een afspraak voor me gemaakt met een plattelands-psychiater. Ik was al bij haar geweest voordat ik voor het eerst naar school ging, maar dit was mijn eerste gesprek na mijn confrontatie met het monster.

Dokter Lyman deed me denken aan een sprinkhaan op een blad. Trillend en klaar om elk ogenblik weg te springen. Ik werd een beetje zenuwachtig van haar, maar ze was ook wel interessant met die wuivende voelsprieten van haar.

'Ik ben blij dat je vindt dat het incident met de gestolen kleren goed is afgelopen,' zei ze.

'Jij dan niet?'

'Ik tel niet mee,' zei de Sprinkhaan. Ik zweer je dat ze in haar handen wreef. Hebben sprinkhanen handen?

'Ze hebben me geaccepteerd. Ik heb het goed gedaan,' zei ik. Maar door haar opmerking verloor ik iets van mijn zelfvertrouwen.

'Was dat je echte reden om deze vernedering zo kalm te ondergaan?'

Wat bedoelde ze daarmee?

'Denk je dat ik een andere reden had?'

De Sprinkhaan gaf geen antwoord.

'Ik haat het als jullie dit doen,' zei ik.

'Als we wát doen, Wade?'

'Dat. Allemaal vragen. Geen antwoorden. Ik dacht dat ik greep had op de situatie, en nu... nu maak jij me weer onzeker.'

'Ik geloof niet dat ik je onzeker zou kunnen maken als jij zo tevreden was over je beslissing als je zelf zegt.'

Ik wilde me beheersen bij haar. Ik wilde Wade zijn, niet Kip. Kip bestond niet meer. Ik was een gewone jongen, met een gewoon leven. Waarom ging mijn hart dan zo tekeer en balde ik telkens mijn vuisten?

'Had ik dan een woedeaanval moeten krijgen?' Mijn stem klonk nijdig. 'Had ik op mijn eerste schooldag anderen moeten verraden? Vijanden moeten maken? Zou dat beter zijn geweest? Volgens mij weet jij niet meer hoe het is op de middelbare school.'

'Weet *jij* dat dan wel?' De Sprinkhaan zette grote ogen op, maar haar stem bleef zacht.

Wade verloor. Kip won.

'Oké. Ik begrijp het. Ik dacht niet dat het stoer was om die laarzen en dat trainingspak gewoon te dragen. Ik deed het omdat ik vind dat ik *straf* verdien. Is dat wat je wilt horen?'

Ik sprong op uit de stoel en liep met grote passen naar het raam. Ik keek naar buiten om haar lelijke insectenogen niet te hoeven zien. 'Ik vind dat ik moet boeten, boeten, boeten omdat ik een klein kind in brand heb gestoken. Omdat ik hem en zijn ouders en mijn vader zoveel pijn heb gedaan. Ik verdien alle shit die ik over me heen krijg.'

Toen ik me omdraaide, zag ik dat de Sprinkhaan insectachtig trilde van opwinding. 'Goed zo. Je weet meer over jezelf dan ik had gedacht,' zei ze.

Ik haalde diep adem, en ademde langzaam weer uit. Traag liep ik naar mijn stoel en probeerde wat af te koelen. Ik ging weer zitten.

'Mensen doen rot tegen me en ik incasseer het gewoon. Dat moest ik toch leren, al die jaren dat ik opgesloten zat? Mijn woede beheersen?'

'Ja, en het werkt. Er is niets mis mee om klappen te incasseren. Maar je schuld aanvaarden is niet hetzelfde als op zoek gaan naar straf.'

'Ik heb die jongens niet gevraagd om mijn kleren weg te nemen,' mompelde ik.

'Nee. Maar het aanvaarden van pijn die je niet verdient, is ver-

slavend. Daar moeten we aan werken. Anders leidt het tot contra-
productief gedrag.'

Ik wreef over mijn slapen. Ik had al een tijdje geen hoofdpijn
meer gehad. 'Dat begrijp ik niet.'

De Sprinkhaan leunde naar voren over haar bureau. 'Luister:
als het straks heel goed met je gaat, vind je dat je het niet verdient
en probeer je het zelf te verprutsen.'

'Onzin!' riep ik zo hard dat we er allebei van schrokken. Ik
slikte en probeerde wat te dimmen. 'Ik weet niet waar je het over
hebt.'

De Sprinkhaan leunde achterover. Ze leek heel zeker van zichzelf. Alsof het al gebeurd was, zei ze tegen me: 'Als het te goed
met je gaat, brand je jezelf af, Wade. Net zoals je dat jongetje hebt
verbrand.'

Toen ik thuiskwam zat Carrie haar e-mails te bekijken. Ze zag er
ongelukkig uit.

'Ik kan je spamfilter zo instellen dat je niet al die aanbiedingen
krijgt voor een snelle reparatie van je verkommerde liefdesleven of
een echte Rolex voor een tientje,' zei ik.

'Dat is het niet. Ik heb al drie maanden niets van Grant gehoord.'

'Je stiefvader?'

'Ja.'

'Ik dacht dat jullie niet zo vaak mailden.'

Carrie tikte snel een berichtje en verzond het. 'Maar ik heb hem
geschreven dat we nu in Indiana wonen, en hij heeft niet geant-
woord. Dat is niets voor hem.'

Ik ging aan de tafel zitten. 'Carrie, hoe zit dat met Grant? Met je
vader en moeder en je andere stiefvader praat je bijna niet.'

Carrie draaide zich weg van de computer. 'Mijn moeder is met
Grant getrouwd toen ik zes was, en van hem gescheiden toen ik
negentien was. Haar derde man leeft niet meer.'

76

'O,' zei ik. 'Dus Grant is eigenlijk je vader geweest?'

'Ja. Ik heb heel fijne herinneringen aan zijn huis bij het strand in Texas. Ik vond het daar heerlijk. Grant en ik zochten samen schelpen en hij leerde me zeilen en vissen. Hij was er als ik hem nodig had, en ik was niet de gemakkelijkste, geloof me.'

'Uh, Carrie, ik dacht toch niet dat hij je uit een inrichting had gehaald voor gevaarlijke jonge...'

'Hou je mond. Dat ben je niet. Niet meer. Trouwens, niet zo egocentrisch, hè. Dit gaat over *mij*.' Ze glimlachte.

Ik weet niet wat er toen precies gebeurde. Misschien kwam het doordat ik merkte dat Carrie zo bezorgd was over Grant en zich herinnerde wat ze samen voor leuke dingen hadden gedaan... of doordat ik zeker wist dat Carrie van me hield, omdat ze me niet als een gestoorde behandelde... of misschien gewoon door haar grijns. Misschien was het de stress van mijn gesprek met de psychiater. In elk geval had ik een soort doorbraak. Toen Carrie zei dat ik mezelf even moest vergeten en aan haar moest denken... deed ik dat. Voor het eerst stond ik mezelf toe om helemaal van haar te houden alsof ze mijn moeder was.

Eerst waren het stille, verbaasde tranen, en toen legde ik mijn hoofd op mijn armen, die op tafel lagen, en snikte het uit met harde schokken – het voelde alsof mijn ribben zouden breken.

Carrie kwam naar mijn stoel toe. 'Schuif eens op met dat kleine kontje van je,' zei ze. Ik maakte plaats en Carrie kwam op het puntje van de stoel zitten en sloeg haar armen om mijn schouders. Ze drukte haar wang tegen mijn gebogen hoofd. 'Zo deed Grant dat bij mij. Meer dan eens. Ik weet niet precies wat je voelt, lieverd, maar wel dat het pijn doet.' Ze omhelsde me nog wat steviger. 'Geloof me, het wordt misschien nog erger, maar uiteindelijk gaat het beter. Ten slotte gaat het goed. Ik zweer het.'

Ze had gelijk. Het werd erger. Alleen niet meteen. Net als bij een doorbraak word je ook door de rottigheid verrast.

Ik wende aan het schoolleven. Er waren rijke, populaire kinderen die de baas waren op school, maar ik ging vooral om met de tweede laag. De gewone leerlingen, waarvan er op elke school heel veel zijn. Doorsnee kinderen, met doorsnee cijfers en doorsnee sportprestaties. Doorsnee is prima, vooral in het Midwesten.

Ik had een groepje vrienden; ik zat niet alleen in de kantine; ik had een vaste plek zonder losers; ik werd niet als een vijand beschouwd; Kip was ver weg en ik droeg Wade als een paar goed ingelopen schoenen. Maar toen werd ik onvoorzichtig.

Het gebeurde bij Engels. Ik had *Het licht in het woud* uit en werkte aan mijn verslag. De rest van de klas was bijna klaar met Edgar Allan Poe en besprak het laatste korte verhaal.

'Wade, kun jij me helpen?' vroeg mevrouw Bales.

Ik keek op.

'Heb jij "Het masker van de rode dood" gelezen, en erover nagedacht?'

'Ja.'

'De anderen schijnen allemaal te denken dat het gewoon over een feest gaat dat uit de hand loopt. Heb jij misschien een origineler idee?'

'O ja,' snoof de spierbal die al als eersteklasser reserve-quarterback was in het schoolteam. 'De leip uit de rimboe die les heeft gehad van zijn mama zal het ons wel vertellen. Laat me niet lachen.'

Ik had zin om die holbewoner op zijn gezicht te slaan. Clint Jons was de leider van het groepje dat op de eerste dag mijn kleren had gestolen. Maar net als bij de leraar met zijn kakibroek in de inrichting mocht ik mijn vuisten niet gebruiken.

Ik keek de patser met zijn zware wenkbrauwen, korte nek en

kippenhersens woedend aan en draaide me toen om naar mevrouw Bales.

'Het eerste dat je moet weten, is wat er in Poe's leven gebeurde toen hij het verhaal schreef.'

'Wees stil, mijn hart – een leerling die meer doet dan de opdracht lezen,' zei mevrouw Bales, terwijl ze naar haar hart greep. 'Misschien ziet meneer Jons nu in dat zijn commentaar voorbarig en misplaatst was?'

De holbewoner sloeg zijn boek dicht en zakte onderuit in zijn bank. Hij sperde zijn neusgaten wijd open.

'Poe's vrouw had tuberculose en was doodziek toen hij dit schreef. Dus hoestte ze bloedklodders op. Daar komt waarschijnlijk het beeld van die rode vlekken op de huid vandaan. De rode kamer heeft helemaal met bloed te maken en ook met koorts, denk ik, het vuur dat het lichaam verteert.'

'Heel goed, Wade. Ga verder. Het schijnt dat je van thuis leren veel inzicht krijgt in symboliek.'

'Resultaat van jarenlange therapie.' Ik was zo druk bezig Jons om de oren te slaan met mijn slimheid dat het eruit was voordat ik me realiseerde hoe stom slim kan zijn. Ik zag Dave verbaasd naar me kijken.

'Zo noemde mijn moeder thuis leren – therapie.'

Shit, dat was nog erger. Ik had Dave verteld dat mijn moeder was gestorven toen ik negen was. 'Ik heb vooral les gehad van mijn vader, maar mijn moeder noemde het zo toen ik klein was, en mijn vader bleef dat doen.' Ik praatte er snel overheen. 'Maar goed, het verhaal gaat dus over de onvermijdelijkheid van de dood. Die krijgt ons allemaal te pakken. Rijk of arm. Maakt niet uit. Geen ontsnappen mogelijk.'

Mevrouw Bales bedankte me en begon over de zeven stadia van het leven te praten. Ik wierp een snelle blik op Dave. Hij zat aantekeningen te maken, maar hij had nog steeds een frons op zijn voorhoofd.

Toen de bel ging, liep ik snel de klas uit naar geschiedenis van Indiana. Daardoor leek het of ik me schuldig voelde, bedacht ik. Wat was ik toch een stommeling.

Een reusachtige hand greep mijn schouder vast en draaide me met een ruk om.

'Je vindt jezelf heel slim, hè?'

Clint boog zich woedend over me heen. Hij had er nog steeds moeite mee hoe het was afgelopen met de gestolen kleren. Hij wilde dat ik voor hem zou kruipen, en dat deed ik niet. Hij was nijdig omdat bijna de hele school vond dat ik dat gevecht had gewonnen. En nu had ik hem een domme indruk laten maken in de klas. Nee, ik had *bewezen* dat hij dom was. Hij maakte altijd een domme indruk.

'Wat sta je nou te grijnzen, elandneuker?' gromde Clint.

Ik had twee redenen om niet met deze pummel te vechten: ik had het Schofield beloofd, en Clint Jons zou me eenvoudig afmaken.

'Clint, je overschat me. Zo'n eland is *groot*, hoor.'

Bevend van woede boog Clint zich nog verder naar me toe. 'Hoe groot was je mammie eigenlijk?'

Daar gingen mijn goede voornemens, en mijn gezonde verstand. Ik bukte en gaf hem een harde kopstoot in zijn maag. Ik geloof dat mijn hoofd zo ongeveer tussen mijn schouders verdween. Clint wankelde achteruit. Hij was meer verbaasd dan dat ik hem echt pijn had gedaan. Maar ik maakte van de gelegenheid gebruik om hem hard tussen zijn benen te schoppen. Zijn ogen puilden uit, zijn gezicht werd lijkbleek en hij viel met een klap op de grond.

Niemand bewoog. Ik keek de kring rond en stapte over Clint heen. 'Liggen blijven, en pas voortaan op wat je zegt. Dit was een lesje in goede manieren.'

Ik liep regelrecht naar de kamer van de rector.

Terwijl ik mijn best deed om kalm te worden, probeerde de rector te weten te komen wat er nou eigenlijk was gebeurd. Ik zei dat Clint het gevecht had uitgelokt en dat ik het had beëindigd. Clint zei dat er helemaal geen gevecht was geweest. Hij had een ongelukje gehad en daarom had hij een zakje ijs op zijn ballen. Zo'n mietje als Wade Madison kon Clint Jons toch niet tegen de grond krijgen?

De toeschouwers herinnerden zich niet waar ze waren toen het gebeurde. Ze leden massaal aan geheugenverlies.

Mevrouw Bales zei dat Clint mij in de les had zitten treiteren.

Aan mijn knokkels was natuurlijk niets te zien, en ikzelf had geen verwondingen die op een gevecht wezen.

'Wat moet ik hiervan denken, Wade?'

'Wat u wilt, meneer.'

'Maak dat je wegkomt. Als ik een klacht krijg van de ouders van die jongen, moeten we misschien...'

'Dat begrijp ik, meneer.'

'Heb je die kolos echt neergehaald zonder dat hij je heeft geraakt?'

'Ik was... van streek, meneer.'

'Probeer niet meer van streek te raken, Wade.'

'Ik doe mijn best.'

Tussen de middag wachtte Dave me op bij de kantine. Hij trok me opzij. 'Hé, Siberië, je hoeft me niet uit de weg te gaan. Het heeft even geduurd, maar ik geloof dat ik het nu begrijp.'

Ik staarde hem aan.

'Je had nogal een meltdown in de klas toen je het over koorts had. Je dacht vast aan je moeder toen ze doodging. Had je een soort flashback?'

Ik keek omlaag naar zijn voeten. Ik moet het hem vertellen, dacht ik. Dit is het moment om hem te vertellen wie ik ben.

'Ik wed dat je in therapie bent geweest en niet wilt dat iemand

het weet.' Dave hield zijn hand omhoog alsof hij het verkeer tegen-
hield. 'Je hoeft niets te zeggen. Maar je moet niet denken dat ik nu
slecht over je denk. Alaska moet behoorlijk achterlijk zijn als jij je
schaamt omdat je therapie nodig had toen je moeder stierf.'

'Dat is het niet. Maar ik was nog zo klein.'

Dave keek me aan met een glimlachje. 'Ik kan luisteren...' Opeens lachte hij. 'Misschien geloof je me niet, maar we kunnen mijn
mond dichtplakken of zo.'

'Kom, dan gaan we eten,' zei ik om over een ander onderwerp
te beginnen.

'Wil je gewoon gaan eten, alsof je niet net Clint Jons hebt neer-
gelegd? Dat vergeet hij nooit,' zei Dave.

'Dat vrees ik ook,' zei ik.

We liepen naar onze vaste tafel en legden onze boeken neer. Ik
vroeg me af of Dave het schuldgevoel kon ruiken dat uit mijn poriën dampte. Ik was een bedrieger, die zijn vriendschap stal.

Ik kwam het eerste jaar door zonder verdere gevechten. Jons negeerde me. Omdat hij een kop groter was dan ik, kon hij makkelijk over me heen kijken. Allerleukste en ik flirtten een tijdje met elkaar, maar ze fladderde naar me toe en dan weer weg. Waarschijnlijk voelde ze iets in me dat ze niet helemaal vertrouwde.

Vlak voor het eind van het schooljaar liet de gymleraar me naar zijn kamer komen.

'Wade, ik heb een goed idee voor je.'

Ik hoopte dat hij me niet ging vragen om volgend jaar manager te worden van het footballteam.

'Je zult wel gemerkt hebben dat ze hier in de streek de juiste lichaamsbouw hebben voor football.'

'Ja, dat is vrij duidelijk, meneer.'

'Ze zouden je zo doormidden breken als je meedeed. Maar je wordt lang en slank, en met wat oefening krijg je een goed stel schouders. Heel geschikt om te zwemmen. Als je deze zomer traint bij de zwemcoach, heb je een kans om in het schoolteam te komen, denk ik. Wat zeg je ervan?'

'Ik kan niet zwemmen.'

De gymleraar krabde zich op zijn hoofd. 'Kun je niet zwemmen?'

'U weet wel. Alaska. IJs. Heel koud water. Moeilijk om te zwemmen.'

Dat was niet helemaal waar. Maar wie zou de maniakkenmeute nou loslaten in een zwembad?

'Dat is een serieus probleem, jongen. Goed, ik zal je leren zwemmen en dan geef ik je aan coach Redmon, als je er hard voor wilt werken.'

Lid worden van een team stond niet hoog op mijn verlanglijstje.

Maar al mijn vrienden speelden football, en gingen hardlopen als het footballseizoen voorbij was. Daardoor was ik te vaak alleen met mijn gedachten. Dat was niet goed. Dan kon ik me beter uitputten met zwemmen. Wade was toch geboren in het water?

'Ik heb er wel zin in, meneer. Maar mag ik het eerst aan mijn ouders vragen?'

Toen ik ging zwemmen, leerde ik het gevoel, de geur en de smaak van blauw kennen. Het water van het zwembad was blauw als de vergeet-mij-nietjes in Alaska. Als ik erin dook, werd mijn hele huid omhelsd door de koele vloeistof. Bij de dolfijnslag gleed het water als fluweel langs mijn benen. Het geplons van mijn slagen verjoeg de gedachten uit mijn hoofd en ik vond het heerlijk om te keren aan het eind van een baan – onderduiken en afzetten, diep onder water waar geen vlam me ooit kon bereiken.

Ik was de droom van elke zwemcoach. Het was nooit hard werken voor me; het was een ontsnapping. In het zwembad bestonden geen schuldgevoelens; in het heldere, blauwe water was er geen schaamte.

Ik begon de tweede klas met een groeispurt, en door mijn krachttraining was ik aan het eind van het jaar lang, slank en breedgeschouderd – precies zoals de gymleraar had voorspeld.

En ik was zo agressief als een haai. Ik viel het water aan alsof het mijn vijand was. Het zwembad had maar één baan: die van mij. Ik zwom niet om iemand anders te verslaan. Ik zwom om mezelf te verslaan, of misschien om mezelf te pijnigen. Dat zei dokter Lyman.

Ik haalde goede cijfers, goede tijden en medailles bij zwemwedstrijden. Het lukte me om voor het eerst een echt afspraakje te maken en te zoenen, en dat leidde tot meer afspraakjes en vrijen. Allerleukste en ik waren een stel.

Maar hoe beter het me ging, hoe meer spanning ik voelde. Het was nog maar een kwestie van tijd: ik had geen waarheid om de geesten te voeden, en op een gegeven moment zouden ze die van me eisen.

Op een middag in november van mijn tweede schooljaar keek ik de post door terwijl ik het huis binnenging. Carrie had een brief van een notaris in Houston, Texas.

Op de een of andere manier wist ik dat het met Grant te maken had. Carrie had kort daarvoor weer contact met hem gekregen. Grant zei niet waarom hij zo lang niets van zich had laten horen. Hij was blij dat ze nu in Indiana woonde en gelukkig getrouwd was. Maar hij vertelde niets over zichzelf. Hij had nog maar één keer gemaild voordat hij weer van Carries computer verdween.

Ik zette de brief rechtop op tafel, deed een paar handdoeken in de was en haalde spullen uit de kast om spaghettisaus te maken. Dat had Carrie me het vorige jaar geleerd, samen met nog een paar makkelijke gerechten. Carrie kwam naar alle zwemwedstrijden; dan kon ik haar best helpen door af en toe te koken.

Carrie las de brief met een vreemde uitdrukking op haar gezicht. Maar ze zei niets tot pa thuiskwam en we samen aan tafel zaten.

'Ik heb een brief gekregen van Grants notaris,' zei Carrie.

Pa keek op van zijn spaghetti. 'Zijn notaris?'

'Ja. Grant... is dood.' Carrie zweeg en klemde haar lippen op elkaar tot ze wit werden. Toen praatte ze verder. 'Ik heb hem nooit ons huisadres gegeven, en ook niet onze achternaam, schijnt het. Ik heb hem jullie voornamen verteld en allerlei andere dingen over jullie, maar ik heb hem nooit onze achternaam geschreven. Dat vond ik niet... uh...'

Pa pakte haar hand en drukte er een zoen op.

Carrie schraapte haar keel en haalde diep adem. En nog een keer. 'Hij heeft me niet verteld dat hij ziek was. Hij wilde niet dat ik me zorgen maakte. Hij is drie maanden geleden gestorven. Het duurde een tijdje voordat de notaris ons had gevonden.'

Ze gaf de brief aan pa. 'Grant heeft mij het huis aan het strand nagelaten. Hij zei dat niemand anders er zo blij mee zou zijn als ik.'

Toen barstte ze in tranen uit. Ik wist precies wat ik moest doen.

'Schuif eens op met dat kleine kontje van je,' zei ik terwijl ik opstond. Ik ging op het puntje van Carries stoel zitten en sloeg mijn armen om haar heen. Ze veegde haar ogen en haar snotterige neus af met de rug van haar hand en droogde hem aan mijn spijkerbroek.

'Wat een viespeuk ben jij,' zei ik.

'Toch hou je van me,' zei ze.

'Ja.'

Ik dacht aan Grant, die ik niet eens kende. Hij had Carrie een huis en een vader gegeven toen ze die nodig had, en misschien had ik daaraan uiteindelijk Carrie te danken.

'We moeten uit elkaar,' zei Allerleukste terwijl ze mijn kerstcadeau bekeek.

'Vind je het geen leuke cd's?'

'Vind jij niet dat je je vriendinnetje eigenlijk iets... *persoonlijkers* moet geven dan cd's, Wade?'

'Persoonlijker? Dat begrijp ik niet.' Ze had mij een leren halsveter gegeven – best cool. Met een gouden dolfijn eraan – ook best cool. Met 'Love Lindsey' achterop gegraveerd – niet zo cool.

Lindsey gaf me de cd's terug. 'Als je ze nou zelf voor me had gebrand met songs die belangrijk voor ons zijn, zou het wat anders zijn. Deze komen gewoon uit de winkel.'

Ik krabde me in mijn nek. 'A.L...' begon ik.

'Zie je nou wel!' Ze stampte met haar voet. Ja, dat deed ze echt. 'Dat bedoel ik. A.L. Je noemt me A.L.'

'Het betekent Allerleukste. Wat is daar fout aan?' Ik wist niet of het me ergerde of dat ik er gewoon genoeg van had.

'Weet je eigenlijk wel hoe ik heet?'

'Natuurlijk. Daar zorg je wel voor. Je wilt dat ik met je naam om mijn nek ga lopen. Alsof je je naam in je gymkleren zet.' Ik rukte de halsveter los en smeet hem op de grond.

'Wade, je bent gevoelsmatig niet voldoende bij onze relatie betrokken.' Het klonk alsof ze het ergens had gelezen. En toen maakte ze het uit. 'Oké. We zijn uit elkaar.'

A.L. had blijkbaar gelijk, want ik miste haar nauwelijks. De rest van het jaar gingen Dave en ik samen achter de meisjes aan. Drie afspraakjes met dezelfde achter elkaar was de langste 'relatie' die een van ons beiden had. We gingen bijna altijd met zijn vieren uit. Van beste vriend was hij nu een soort halfbroer geworden.

Het uitgaansgedrag van de drie B's verbijsterde me. Ze maakten alleen afspraakjes binnen hun kerk. Maar het was net een stoelendans. Eén B ging uit met meisje X, verwisselde haar voor meisje Y, en dan ging een andere B uit met meisje X. Als de eerste B genoeg kreeg van meisje Y, ging de derde B misschien uit met meisje Z. Als hij dan genoeg kreeg van meisje Z, ging hij over op meisje X of Y, en misschien kwam meisje R dan in beeld. Wat ik niet begreep was dat niemand jaloers was; geen van de meisjes voelde zich gebruikt en ze werden niet boos op elkaar. Iedereen vond dit doorgeven heel gewoon. Maar mij deed het aan incest denken.

Mijn echte liefde was nog steeds het water. Het blauw dat me rustig maakte. Wat er die dag ook was gebeurd, het water kon het wegspoelen, als ik maar hard genoeg zwom. Ik oefende langer, harder en vaker dan al mijn teamgenoten. Telkens opnieuw dwong ik het water zijn waarde te bewijzen door erdoorheen te snijden, hard te trappelen, af te zetten en onder te duiken.

Aan het begin van het derde jaar kwam de beloning.

'Madison, kom uit het water. Je krijgt kieuwen, jongen.'

Coach Redmon stond bij de dubbele deur. Terwijl ik watertrapte, schudde ik mijn hoofd om het water uit mijn oren kwijt te raken.

'Naar mijn kamer, nu meteen.'

Ik droogde me af terwijl ik naar zijn kamer liep.

De coach wees naar de hardplastic stoel. 'Madison, ik neem je op in het team. Ik heb de afgelopen weken je tijden opgenomen tijdens de trainingen. Als ik die vergelijk met de jongens die al in het team zitten, zwem je de beste tijd op de 200 meter vrije slag en de vlinderslag. Ik heb nog geen definitieve beslissing genomen, maar ik denk dat ik je laatste man maak op de 4 x 200 meter estafette.'

Ik hing de handdoek over mijn hoofd.

'Is dat je antwoord? Hiervoor heb je je toch uit de naad gewerkt?'

Ik trok de handdoek van mijn hoofd. 'Natuurlijk, coach, maar het is ook angstaanjagend.'

'Zwem alsof de duivel achter je aan zit in die baan, Madison. Dan komt het goed.'

Ik denk dat dat het moment was waarop zwemmen niet langer ontspanning voor me betekende, maar overging in bezetenheid. Voortaan stopte ik al mijn hyperactiviteit in de trainingen. Ik ranselde het water en haalde geen tienden, maar hele seconden van mijn tijden af. Maar ik werd er niet meer rustig van.

'Wade, het valt me op dat je het hele uur heen en weer loopt,' zei dokter Lyman. 'Dat deed je vorige week ook al. En je probeert niet te praten over alles wat met school te maken heeft. Zullen we het daarover hebben?'

'Ik slaap slecht de laatste tijd. Ik voel me de hele tijd opgefokt. Alsof ik niet tot rust kan komen. Ik kan niet eens in bed blijven. Ik loop heen en weer in mijn kamer.'

'Waar komt die angst vandaan?'

'Angst? Het is geen angst. Ik ben alleen… een beetje gespannen. Door het zwemteam. Dat geeft veel druk.' Ik liep weer een paar rondjes door de spreekkamer. De Sprinkhaan probeerde me aan het praten te krijgen. Maar ik kwam niet verder dan een paar symptomen: de druk op mijn borst, mijn hyperactiviteit, en mijn onrust.

'Waar ben je bang voor?'

'Dat moet jij *mij* vertellen.'

'Ben je bang dat het te goed gaat met je leven?'

Ik stompte in het voorbijgaan tegen de deur van haar spreekkamer. Ik ging harder lopen, met grotere passen. 'Begin nou niet weer. Het slaat nergens op.'

Aan het eind van het uur gaf de Sprinkhaan me een recept voor kalmerende middelen. Het was de zoveelste pil in mijn arsenaal, maar ik liep 's nachts nog steeds rond omdat ik niet kon slapen. Ik trok aan mijn haar tot het pijn deed. Ik dacht erover om mezelf te snijden, maar in zo'n zwembroekje kun je littekens bijna niet verbergen.

Ik ontdekte alcohol.

Een katalysator.

Tegen het eind van januari had Allerleukste er nog eens over nagedacht. Ze kwam tot de conclusie dat het gras aan de andere kant van de heg toch niet groener was. Na een jaar apart waren we weer samen. En hoe. Zij wilde seks. Ik wilde seks. Alleen wist ik niet zeker of ik seks wilde met A.L.

Dus als het erop aankwam deinsde ik terug. Carrie had me kort daarvoor van een stel seksuele vooroordelen afgeholpen door te zeggen dat jongens ook sletten kunnen zijn. En ze had me bijna overtuigd. Soms werd A.L. boos, en soms vond ze het lief dat ik zoveel 'respect' voor haar had. Soms werd ze huilerig en snikte dat ik niet veranderd was en nog steeds niet 'emotioneel bij onze relatie betrokken' was. Als het zo doorging, zou A.L. net zo worden als de Sprinkhaan, bedacht ik. Misschien dat ik daarom terugdeinsde.

Seksuele spanning en mijn diepe onrust joegen het toerental van mijn motor tot in het rood. Ik zuchtte en pufte en ijsbeerde en kreunde en steunde.

De B's waren flink aan de drank geraakt sinds vorig jaar. Ze kotsten op vrijdag- en zaterdagavond en baden op zondagochtend. Ze hadden een behulpzame vriend in de kerk die eenentwintig was. Voor een klein 'vindersloon' hield hij de voorraad graag op peil.

Van de lessen in woedebeheersing in de inrichting wist ik dat alcohol en zelfbeheersing niet samengaan. Daarom had ik er altijd voor bedankt. Maar op een avond zaten we allemaal in Bretts suv, nadat we onze vriendinnetjes naar huis hadden gebracht. Ik had weer een frustrerende toestand gehad met A.L. Toen Brett me voor de honderdste keer een biertje aanbood, pakte ik het aan.

Rustig aan doen was niets voor mij. Ik hield het flesje ondersteboven en klokte het bier naar binnen. Het gleed zacht en koel door mijn keel.

Brett drukte een tweede flesje in mijn hand. 'Kalm aan, bad boy. Als je buiten westen raakt, laten we je hier liggen.'

Ik dronk de tweede langzamer en pakte zelf een derde uit de koelbox. Toen ik die ophad begon de alcohol zijn werk te doen. Omdat mijn lichaam barstensvol psychofarmaca zat, werd het een indrukwekkende licht- en geluidshow.

Ik werd een liefhebber.

Maar ik was ook een sporter. Ik had van de deskundigen geleerd hoe ik me moest beheersen. Doordeweeks dronk ik bijna nooit. En ik zorgde ervoor dat mijn trainingen er niet onder leden. Mijn schoolcijfers waren zo goed dat er best wat af kon. Na het zwemseizoen zou ik ze wel weer ophalen.

De uitbarsting kwam na de zwemwedstrijden van het district. De strijd om het kampioenschap. Het was alles of niets, en ik had hoofdpijn. De lampen schitterden schel op het water en dreven pijnscheuten door mijn ogen, tot in mijn hersenen.

De coach liep voor ons vieren heen en weer.

'Oké, de individuele onderdelen zijn voorbij. Madison, dat jij die van jou allemaal hebt gewonnen, betekent nog niet dat het tijd is om rustig aan te doen. Je bent laatste man van de 4 x 200 meter estafette. Kevin, Andy en Robby, het is jullie taak om Madison in stelling te brengen. En jij, Madison, haalt de buit binnen. Als je dat doet, hebben we het hele kampioenschap gewonnen. En dat wil ik.'

Coach Redmon ging recht voor me staan. 'Ik wil dit districtskampioenschap winnen. Begrepen, Wade?' Zonder op antwoord te wachten liep hij met grote stappen weg.

De tribunes waren vol schreeuwende, juichende en fluitende mensen. Ik werd bijna misselijk. Mijn hoofd bonsde op het ritme van de spreekkoren. Het gefluit was een rechtstreekse aanval. Ik snakte ernaar om in het water te duiken en alles wat ik zag en hoorde te vergeten. Alleen te zijn in het blauw.

Ik schudde mijn armen en schouders los en probeerde mijn nek te ontspannen. Door de vele uren in het chloorwater was mijn huid bleek en schilferig geworden, en nu kreeg ik kippenvel.

Kevin, onze eerste zwemmer, stond klaar op het startblok, het sein klonk en de zwemmers doken omlaag. Kevin lag als tweede in het water en zijn dolfijnslag was stevig en kalm. Hij kwam vlak achter de nummer een boven, met een soepele maar robotachtige armslag. Zijn tijd verschilde nooit veel. Bij het keerpunt liep hij in, en met dodelijke precisie maakte hij zijn achterstand langzaam goed. Hij voltooide zijn tweehonderd meter met een halve lengte voorsprong en het thuispubliek ging uit zijn dak.

Andy startte goed, maar zijn beenslag was slap.

'Met die meidenslag van hem verspeelt hij altijd mijn voorsprong,' klaagde Kevin.

'Dat zeg je bij elke wedstrijd,' zei ik. 'Hij hoeft er alleen voor te zorgen dat Merrilville of Hammond niet uitlopen.'

'Ik maak het wel goed, dan kan Wade de overwinning binnenhalen,' zei Robby.

Andy vocht voor wat hij waard was, maar ondanks zijn sterke armen verloor hij de voorsprong en zakte naar de derde, en toen zelfs de vierde plaats. Een ramp. Aan het eind van zijn tweehonderd meter tikte hij snikkend aan.

Robby dook lang en ver uitgestrekt. Hij schopte krachtig en ging het water te lijf alsof het van hem was.

'Hij doet het weer. Coach staat al naar hem te schreeuwen,' zei Kevin.

Robby had de gewoonte om naar de andere zwemmers te kijken; hij wilde zijn tegenstander zien. De coach schreeuwde dat het draaien met zijn hoofd tijd kostte. Maar ik wist dat Rob een vijand nodig had in het water, om te verslaan. Aan het eind van zijn tweehonderd meter had hij twee plaatsen goedgemaakt. Ik dook omlaag.

Ik zwom om mijn lichaam te straffen. Ik rekte me ver uit, schopte hard en hield mijn adem in tot mijn longen brandden. Nu ging het tussen mij, de baan, het water en, uiteindelijk, de wand.

Ik wist niet wat er gebeurd was, tot ik bovenkwam en mijn ploeggenoten me uit het water hesen en omhelsden. Ik hoorde alleen het gejuich. Ten slotte maakte de coach het me duidelijk. Ik had de twee koplopers ingehaald en met twee lengten verslagen, en ik had een nieuw schoolrecord gezwommen voor de hele staat.

'Je bent een held, Madison!'

De coach had zijn districtskampioenschap en een record. En ik had schele hoofdpijn. Even later omhelsden mijn vader en Carrie me. Allerleukste zoende me, en mensen die ik niet eens kende sloegen me op mijn rug of schudden me de hand. Het gebrul, gejuich en gefluit deed alleen maar pijn.

Ik slikte snel een handje aspirines voordat ik een warme douche nam, en mijn hoofdpijn trok voldoende weg voor de officiële viering met het team en onze vriendinnen (als we die hadden). Later deed ik het met mijn echte vrienden nog eens over in een braakliggend maïsveld. Jongens onder elkaar. We hadden goedkope strandstoelen, een vuurtje en een heleboel bier en wodka. En we hadden ook weed. De B's rookten niet, maar Jay leerde Dave en mij hoe lekker een stickie kan zijn. We waren al ver heen.

Brett hield zijn biertje in de lucht. 'Op onze held.'

'Goed gezegd, B!' zei Dave.

'Hou toch op. Het was maar een zwemwedstrijd. Ik heb geen geneesmiddel tegen kanker ontdekt.' Mijn God, hoe kon ik dat nou zeggen? Opeens zag ik het pijnlijke, ingevallen gezicht van mijn moeder aan het eind van haar leven voor me. Ik kreeg weer schreeuwende hoofdpijn. Ik rolde het koude bierflesje over mijn voorhoofd.

'Wade is veel te lelijk om een held te zijn,' zei Dave, en hij nam weer een trekje. 'Hé, ik heb vanavond iets gehoord. Maar het is belacherlijk...' Dave zweeg even. 'Dat klinkt raar.'

'Ja, je eerste joint is even wennen,' zei Jay. 'Het woord is "belachelijk", maar ga verder met je verhaal, sukkel.'

'Nou, het is zo belacherlijk. Ik kan het haast niet geloven,' ging Dave verder. Hij had nog steeds moeite met lange woorden.

'Vertel op,' zei Brandon. 'Straks ben je buiten westen voordat we het hebben gehoord.'

'Anna Thompson. Jullie zijn toch allemaal met haar uit geweest?'

'Ik niet,' zei Jay.

'Jij telt niet mee. Ik bedoel de ware gelovigen.' Hij wees met zijn stickie naar de B's.

'Ik ook niet,' zei Brandon. 'Nog niet, tenminste. Ik ga nog met Jen. Brett is de laatste die met Anna uit is geweest.'

'Maakt niet uit. Anna zegt dat Brett buiten jullie kerk vrijt. Ver erbuiten.'

De weed deed blijkbaar mee, want ik vond het een goede grap dat een van de B's eindelijk gestopt was met die incestueuze afspraakjes.

Brandon snoof. 'Zie je wel, daarom wou ik nooit met Anna. Ze roddelt.' Hij nam een grote slok bier. Maar Brendan liet zijn flesje zakken en staarde Brett aan. 'Ja, Anna roddelt, maar Brett heeft wel stiekem gedaan de laatste tijd. We hebben hem niet veel gezien. Hoe zit dat, Brett?'

Dave wuifde met zijn stickie heen en weer om Brendan de mond te snoeren. 'Laat me uitpraten. Het is niet te geloven. Volgens Anna doet Brett het met...' Hij zweeg even, nam een diepe teug, hield de rook binnen, en ademde uit. 'Kelley Hamilton.' Diepe stilte.

Kelley Hamilton had het eerste jaar bij me in de klas gezeten bij geschiedenis van Indiana. Ze had tattoos op haar armen en benen, ze had haar wenkbrauwen afgeschoren en vervangen door reeksen ringetjes en knopjes. Ze had neusringen, een tongknop, meer ringen in haar oren dan ik kon tellen, en waarschijnlijk ook nog wel een paar intieme piercings waar ik liever niet aan wilde denken.

'Heeft deze bijbelboy gevreeën met de tattoo-en-piercing-queen?' Dat was Jay. 'Echt waar?'

Dave grinnikte. 'Dat gelooft toch niemand.'

'Toch is het zo,' zei Brett. Hij keek over het vuur naar Brandon, die opstond en met witte knokkels de hals van zijn bierflesje omklemde.

'Brett,' zei Brandon zacht en streng. Het was een waarschuwing.

Brett keek ons één voor één aan voordat hij vastberaden verder praatte.

'Ze werkt in de cafetaria. Zo heb ik haar leren kennen. Ze is niet zoals jullie denken. Ze is lief en ze geeft om me. Als jullie mijn vrienden zijn, vraag ik jullie om ook haar vriend te zijn.'

Terwijl hij praatte en ik naar zijn gezicht keek, vond ik opeens dat hij op Carrie leek toen ze het over mijn vader had en zei dat hij een lekker ding was. Brett gaf echt om dat meisje. En ik wist nog iets. Dat gevoel had ik met Allerleukste nooit gehad.

'Brett, als Kelley jouw meisje is, vind ik het oké,' zei ik.

'Hou je bek, Wade. Dit gaat je niet aan,' zei Brandon.

Eigenlijk had hij gelijk. Maar misschien werd het tijd dat ik iemand hielp. Ik had met veel mensen gevochten. En dat was nog niet het ergste dat ik had gedaan. Kon ik ook een vriend zijn?

Ik stond op. 'Het gaat me *wel* aan. Brett is een vriend van me en hij vroeg me daarnet om steun. Die gaf ik. Wat is je probleem, verdomme?'

Brandon duwde me opzij met zijn onderarm, zonder me zelfs maar aan te kijken.

'Brett, heb je seks gehad met die… die… slet? Brendan en ik schamen ons voor je. Het is een schande voor je ouders, en voor onze ouders. Als je weet wat goed voor je is, praat je nooit, *nooit* meer met die… hoer.'

Brett vloog hem aan als een raket. Hij ramde zijn hoofd in Brandons maag en ze rolden schreeuwend, meppend en trappend over de grond. Brendan bemoeide zich ermee en trok Brandon overeind. Brett krabbelde overeind en gaf Brendan een linkse hoek in zijn gezicht. Het bloed spoot uit Brendans neus.

Dave lachte nog steeds. 'Niet te geloven. Ze vloeken nog steeds niet.'

Jay en ik maakten een eind aan het gevecht. Jay greep Brandon vast en ik pakte Brett. Brendan besloot zijn bloedende neus te verzorgen.

We kregen ze zover dat ze alleen nog zwaar ademhaalden en beloofden elkaar niet meer te lijf te gaan. Toen lieten we ze los.

'Brandon, hij is je neef,' zei ik. 'Waarom mag hij niet gelukkig zijn van je?'

'Omdat jouw leven volmaakt is, moet je nog niet denken dat je iedereen kunt vertellen wat hij moet doen.'

Ik was dronken en stoned, en mijn hoofd bonsde, maar dat moest ik verkeerd verstaan hebben.

'*Mijn* leven volmaakt?'

Brandon zei niets. Ik liep op hem af en zei weer: 'Mijn leven *volmaakt?*'

Brandon stapte achteruit, maar zijn wijsvinger priemde naar mij. 'Jij weet niet hoe het is om zulke strenge ouders te hebben. Je schuldig te voelen over elke kleinigheid die je ouders en alle anderen in de kerk misschien niet goedkeuren. De enige toekomst die wij drieën hebben, is met iemand trouwen die lid is van de kerk, en voor de kinderen zorgen. Je hebt geen idee hoe het voelt als je leven voorbij is zodra je oud genoeg bent om te sjouwen.'

Brandon raapte een bierflesje op en sloeg het kapot op de stenen rond het vuur. En wat hij daarna zei liet mijn hongerige geesten los. Ze grepen de macht.

'Jij hebt alles. Je bent slim, je bent de grote zwemheld en je ouders laten je doen wat je wilt. Niemand heeft je football laten spelen omdat je vader en je grootvader dat ook deden. Je leefde in de wildernis en was zo vrij als een vogeltje. Wat zouden wij graag met jou willen ruilen.'

Hij zou met mij willen ruilen? En ik zou niet weten hoe het voelde als mijn leven voorbij was voordat het echt begon? De geesten schreeuwden. Niet om schuldgevoel, maar om zelfvernietiging. Ik klemde mijn tanden hard op elkaar, zodat ik niets kon zeggen.

Brandon hield zijn gezicht dicht bij dat van mij. 'Jij hoeft mij niet te vertellen wat ik moet doen. Je hebt geen idee wat wij doormaken terwijl jij rondloopt als held van het zwemteam. Je weet niet wat voor ellende wij allemaal over ons heen krijgen voor die Kelley-truc van Brett.'

Hij zette zijn handen tegen mijn borst en duwde weer. 'Hou je d'r buiten.'

Ik stapte weg van Brandon en keek hem lang aan. 'Wil je mijn leven? Ik wil wel ruilen, hoor.'

Er was een knop omgedraaid.

'Ach, moet je naar de kerk? Nou, ik heb onder de douche gestaan met een jongen die voor de lol de huisdieren van zijn buren in stukken sneed.'

Dave hield op met lachen. De joint van Jay was opgebrand tot aan zijn vingers, en nu liet hij hem geluidloos vallen.

'Ik heb geluncht met een tienjarige jongen die zijn vader had neergestoken omdat die hem liet gebruiken door andere mannen. En hij had ook een van zijn klanten neergestoken.'

Ze keken me allemaal verward en vol afschuw aan.

Ik dronk mijn bier op, pakte een nieuw flesje uit de koelbox en maakte het open. 'Jij denkt dat ik niet weet wat voor leven je hebt? Nou, jij weet helemaal niets over dat van mij. Zal ik je eens wat vertellen? Je weet niet eens hoe ik heet.'

Ik draaide me wankel om en wees naar Dave. 'Jij bent mijn beste vriend. Hoe heet ik?'

'Wade. Je bent dronken. Ik krijg koude rillingen van je, man.'

'Wil je nog meer rillingen? Luister. Ik heet geen Wade. Ik ben Kip McFarland. Ik heb op school gezeten in een psychiatrische inrichting voor gevaarlijke jonge delinquenten. Ik was de jongste en had de ergste misdaad begaan die ze in die inrichting ooit binnen hadden gehad. Ik heb er bijna vijf jaar gezeten.'

'Die rottigheid verzin je,' zei Brett. 'En het is helemaal niet leuk.'

Jay keek of hij in zijn geheugen zocht. 'Misschien verzint hij het niet.'

'Ja hoor,' zei Dave. 'Hij is gewoon dronken.'

'Natuurlijk ben ik dronken, maar heb ik ooit iets verteld over een vriend die ik in Alaska had? Praat ik over wat ik daar deed? Ging ik vissen of jagen? Hadden we een sneeuwruimer? Weten jullie waar mijn grootouders wonen, en of ze nog leven?'

Dave keek of hij een klap in zijn gezicht had gehad. De B's keken elkaar aan. Jay was nog diep in gedachten.

'Ik ben hier gekomen als een pas gelegd ei, maar jullie hebben me nooit iets gevraagd, behalve of ik een klote-ijsbeer heb gezien.' Mijn stem was een en al walging. Maar tegelijk vocht ik tegen mijn tranen. Ik wist wat er zou gebeuren. Ik had zin om me in het vuur te werpen en er een eind aan te maken.

Jay onderbrak mijn getier. 'Mijn vader gaat vaak tekeer over geweld op scholen en wapenbezit, en ik heb hem die naam horen noemen: Kip. Maar het was geen schietpartij. En hij was nog heel jong...'

Toen hoorde ik alleen nog het knallen van hout in het vuur.

Ten slotte verbrak Brandon de geschrokken stilte: 'Wat heb je gedaan?'

'Gedaan? Toen ik negen was, heb ik benzine over een jongetje van zeven gegooid en hem in brand gestoken.'

Dave liet zijn hoofd hangen en wilde me niet aankijken. De B's kropen dichter bij elkaar. Jay trok zijn wenkbrauwen op alsof hij een puzzel had opgelost. 'Dat klopt. Ik herinner het me weer. Die gozer liegt niet, jongens.'

'Is hij gestorven?' vroeg Brett.

Ik liet mijn stem hard en uitdagend klinken. 'Ja, maar het duurde drie dagen.'

Toen voelde ik het. De verandering. Ik had hier geen vrienden meer. Ik had mijn leven net zo omgeploegd en kaalgeslagen als het troosteloze veld waar we zaten. De lucht werd zo zwaar dat het voelde alsof ik weer onder water was. Gedempte geluiden, druk op mijn borst. Ik kon niet ademen.

'Shit,' fluisterde Jay.

'Dat is... slecht,' zei Brendan.

'*Ik* ben slecht, bedoel je?' zei ik. 'Misschien kun je voor me bidden.'

De B's keken me duister aan. Bidden zat er niet in, dacht ik.

'Waarom?' vroeg Dave, tegen de grond pratend. 'Waarom zou je zoiets doen?'

Ik duwde ze over de rand. 'Hij had een nieuwe honkbalhandschoen, en ik niet.'

Ik pakte mijn bierflesje bij de hals en slingerde het opzij, het veld in. Dat was het dan.

Het was een kilometer of zes naar ons huis. Geen probleem als ik nuchter was, maar met al dat struikelen en vallen een heel eind.

Mijn vader was nog op toen ik thuiskwam.

'Wade?' zei hij.

'Nee, ik ben Kip en morgen weet iedereen het.'

'Wat?' Hij gooide zijn boek neer en kwam snel naar me toe. 'Je bent dronken. Wat heb je gedaan?'

'Ik heb het verteld. Ik heb ze alles verteld,' zei ik.

'Nee,' zei hij ongelovig. Maar toen ik geen antwoord gaf, werd zijn gezicht rood. Er kroop woede in zijn stem, en hij greep mijn schouders en schudde.

'Weet je niet dat wat jij doet gevolgen heeft voor ons allemaal?' Hij liet mijn schouders los en liep heen en weer door de kamer.

'Het was erg genoeg toen ik alleen was, maar nu is Carrie er ook. Het begint allemaal opnieuw. Alles. De kranten. De haat. Het kan gevaarlijk worden, Wade. Er zijn mensen die vinden dat je er te makkelijk vanaf bent gekomen. Mensen die geloven in oog om oog, tand om tand. Misschien komen ze hierheen en...'

Zijn woede sloeg om in angst.

Toen ik dat zag, bleef er niets over van mijn uitdagende houding. Mijn vader zag blijkbaar het grote verdriet op mijn gezicht.

Hij kwam met twee snelle stappen naar me toe en trok me tegen zich aan. Hij omhelsde me stevig.

'Toe, jongen, laat het nou los. Je hoeft jezelf geen pijn te doen. Dat helpt toch niet.'

Ik sloeg mijn armen niet om hem heen. Ik hing slap in zijn armen en hij droeg het grootste deel van mijn gewicht. Was het ook zo geweest toen ik uit coma kwam? Hoe vaak zouden we dit nog moeten herhalen?

'Waarom heb ik het gedaan? Waarom heb ik het verteld?'

'Omdat je denkt dat je het niet verdient om gelukkig te zijn.' Mijn vader duwde me van zich af, maar hield mijn schouders vast. 'Je moet begrijpen dat het wél mag. Doe dat voor mij. Ik heb je nooit om iets gevraagd. Nu vraag ik je om gelukkig te zijn.'

Hij bracht me naar mijn bed, trok mijn schoenen en jack uit, legde me neer, en wierp een deken over me heen.

'Morgen voel je je op allerlei manieren ellendig,' zei mijn vader zacht. 'En een deel daarvan verdien je. Ik heb de verborgen flessen gezien. Dat moet afgelopen zijn, Wade. Anders ga je weer naar een inrichting.'

Hij pakte een van mijn voeten vast, trok hem van het bed en zette hem op de vloer. 'Zo draait de kamer niet zo erg,' zei hij. Daarna zette hij de prullenmand naast mijn hoofdeinde. 'Die heb je misschien ook nodig.'

Toen liep hij naar de deur.

'Pa.'

Hij bleef staan en draaide zich om.

'Het spijt me. Ik ben altijd degene die het verprutst, en jij moet eronder lijden.'

Hij was even stil, voor hij antwoordde: 'Wade, dat je daarover nadenkt, maakt het voor mij mogelijk om in je te blijven geloven.'

Mijn vader had gelijk. De volgende dag was op allerlei manieren een verschrikking. In mijn hoofd en daarbuiten. 's Ochtends bleef het buiten mijn hoofd nog rustig. In mijn hoofd klonken blikken trommels en snerpend gekras. Een krankzinnige die viool speelde? Ik hing ook een flink deel van de ochtend over de wc-pot. Tussen het kotsen door hoorde ik mijn vader en Carrie fluisteren. Het klonk dringend.

Toen Carrie dacht dat ik iets binnen kon houden, bracht ze me sap en aspirines. 'Zo, dus je hebt op de zelfvernietigingsknop gedrukt?' Ze stond met haar armen over elkaar. Dat was geen goed teken.

'Ja, dat heb ik gedaan. Precies zoals de psych zei.'

Ik spoelde de aspirines met een slok sap naar binnen. Daarna zette ik het glas op het nachtkastje. 'Nog meer sap is op dit moment niet zo'n goed idee, geloof ik.'

'Volgens mij is een kater zuivere rechtvaardigheid,' zei Carrie.

Ik zag in kleur voor me wat ik allemaal had uitgekotst. 'Rechtvaardigheid misschien. Erg zuiver kan ik het niet vinden.'

'Probeer niet de hele dag in bed te blijven.' Carrie draaide zich om en liep weg.

'Carrie, ik denk dat we nog veel meer rottigheid krijgen door wat ik gisteravond heb gedaan. Het spijt me.'

Ze deed haar best om te glimlachen. 'Misschien valt het mee. Het was lang geleden, in een andere streek. Deze mensen kennen je als heel iemand anders. Laten we er het beste van hopen.'

Maar een paar uur later bleef er van die hoop weinig over. Meestal werd ik op zondag aan één stuk door gebeld. Nu ging mijn telefoon pas om drie uur voor het eerst. Het was Dave.

'Hoi, Dave.'

'Hoi.'

Het was de eerste keer dat hij me niet 'Siberië' noemde als ik de telefoon aannam. Hij noemde me helemaal niets.

'Ik, uh, moet met je praten,' zei Dave.

'Wat is dit dan?' probeerde ik cool te antwoorden, maar dat ging volledig de mist in.

'Ik wil je zien.'

'Natuurlijk, kom maar langs,' zei ik. Ik wist wat er ging komen, en ik zou het zo makkelijk voor hem maken als ik kon. Dave was vanaf het eerste moment aardig tegen me geweest, en ik had vanaf datzelfde moment tegen hem gelogen.

Ik wachtte op de veranda tot hij kwam aanrijden.

Dave wenkte dat ik naar de auto moest komen. 'Hoi.'

'Je mag me nog steeds Siberië noemen.'

Er viel een ongemakkelijke stilte.

'Kom je in mijn auto zitten om te praten?'

Ik ging naast hem zitten in zijn Jeep Cherokee.

'Was het waar?' Dave hield met witte knokkels het stuur vast. 'Of was je gewoon dronken en... nou ja... verzon je die shit om te voorkomen dat de B's elkaar vermoordden?'

Hij keek me niet aan, maar zijn toon smeekte me om een antwoord waarmee hij kon leven.

Ik duwde mijn handen onder mijn dijen en drukte mijn hoofd tegen de hoofdsteun. 'Je weet het antwoord, Dave. Dwing me niet om nog meer tegen je te liegen.'

Hij liet het stuur los en wreef met zijn handen over zijn gezicht, en daarna over zijn broek. Hij wist het niet, maar ik had veel geleerd van de Frons. Hij veegde me van zich af.

'Dus... je hebt vanaf het begin tegen me gelogen?' Hij sloeg met zijn vuist op het stuur en keek uit zijn zijraampje. Hij kon me nog steeds niet aankijken. 'Je hebt me zelfs nooit je eigen naam verteld?' Hij begon bijna te huilen. Hij schraapte zijn keel om het niet te laten merken.

Ik gaf hem even de tijd. Toen begon ik tegen hem te praten alsof ik een zwerfhond naar mijn uitgestrekte hand probeerde te lokken. 'Dat was ook om mijn ouders te beschermen. Je hebt geen idee hoe de mensen in Alaska mijn vader hebben behandeld. Onze buren hebben ons huis in brand gestoken. Het huis dat mijn vader had gebouwd. Het huis waar mijn moeder is gestorven, en waar ik ben geboren. Mijn vader is gedwongen om ontslag te nemen. Hij moest zijn naam veranderen om een nieuwe baan te krijgen.'

'Omdat jij een kind hebt vermoord.' Dave struikelde over het woord 'vermoord'. Hij fluisterde het bijna, alsof hij porno liet zien aan een priester.

'Ik was negen.'

Dave leunde met zijn hoofd achterover en staarde naar het schuifdak. Ik zweeg.

'Maar je hebt het met opzet gedaan, hè?' Hij klonk verslagen.

Ik wilde het allemaal uitleggen aan Dave – dat het alleen om de handschoen ging, en dat het een ongeluk was. Maar als ik dat deed en hij me steunde, zou hij worden afgesneden van de wereld die hij kende. Hij zou verstoten worden, samen met mij. Net als Carrie en mijn vader zou hij de haat over zich heen krijgen die voor mij bestemd was.

Dave was niet sterk genoeg om daartegen te vechten en hij verdiende het niet om het te moeten proberen.

'Ja, ik heb het met opzet gedaan.' Geen uitleg en geen verontschuldiging.

'Je hebt in de gevangenis gezeten voor je hierheen kwam.'

Ik wachtte even.

'Min of meer. Het is nogal ingewikkeld. Het was een psychiatrische inrichting. Maar wel een gesloten inrichting voor gevaarlijke jonge delinquenten. Ik was daar opgesloten. Ik mocht niet weg voordat de rechter toestemming gaf.'

Dave keek recht voor zich uit. Weg van mij. 'Ik haat je niet. Echt niet. Je bent een broer voor me geweest. Maar... Ik heb er diep over nagedacht, het van alle kanten bekeken. Ik weet dat...' Hij zweeg. Zijn verdriet was bijna tastbaar.

'Nou ja, je bent ervoor gestraft. Het zou voorbij moeten zijn.' Hij zweeg weer, en zuchtte. 'Maar ik kan niet de beste vriend zijn van een moordenaar.'

Er viel weer een pijnlijke stilte.

Hij wreef met de muis van zijn hand over zijn voorhoofd. 'Ik geloof niet dat je een gestoorde moordenaar bent of zo. Maar ik kan het beeld dat jij een jongetje verbrandt, niet uit mijn hoofd krijgen. Ik kan niet naar je kijken zonder dat te zien.'

'Dat begrijp ik,' zei ik.

Dave sloot zijn ogen alsof hij pijn had. Ik vroeg me af of het makkelijker voor hem was geweest als ik ruzie had gemaakt, en me als een klootzak had gedragen. Nu kon hij alleen bedroefd zijn, en het vrat aan hem. Als ik een echte vriend was, zou ik ruziemaken zodat hij het verdriet kon kwijtraken en boos kon worden. Maar ik was er gewoon te moe voor.

'Luister,' zei Dave. 'Jay kon zijn mond niet houden. Hij heeft Lindsey gebeld. Ze is flink hysterisch. Brandon heeft het aan iedereen in de kerk verteld en jullie krijgen problemen. Daar doe ik niet aan mee. Maar ik kan ook niet meer met je omgaan.'

'Het is cool van je dat je me dat in mijn gezicht zegt. Bedankt.'

Dave startte de motor. 'Ik moet ervandoor.'

Ik stapte uit en liep zonder om te kijken het huis in.

Op maandag reed Carrie me naar school. Toen ik naar binnen liep, zag ik een van de conrectoren die met een brandblusser in mijn locker spoot. Zijn woedende gezicht was rood tot op zijn kale hoofd. Ik kon zien dat mijn schriften en papieren verbrand waren; de boeken waren geschroeid en verder bedorven door het schuim. Boven op de hele rotzooi lag een halfgesmolten plastic pop. De conrector sloeg het deurtje van mijn locker dicht en ik zag dat er met dikke zwarte stift KINDERMOORDENAAR op was gekladderd, voor wie het nog niet begrepen had.

'Naar mijn kamer, Wade – nu meteen!' zei de conrector streng. 'De rest van jullie, maak dat je wegkomt. Ga naar je klas en probeer wat te leren.'

De conrector bracht me naar zijn kamer en ging weg. Toen hij terugkwam, wenkte hij dat ik mee moest lopen naar de vergaderzaal. Daar zaten de rector, coach Redmon, de schoolinspecteur meneer Eastland, en een man in een net pak.

'Ga zitten, Wade,' zei meneer Eastland. 'We hebben je vader en je stiefmoeder gebeld, en ze zijn onderweg hierheen.'

Meneer Eastland, coach Redmon en het Pak praatten een tijdje fluisterend met elkaar en toen hardop over verkiezingen voor het schoolbestuur, tot mijn vader en Carrie binnenkwamen. Iedereen werd aan elkaar voorgesteld en ging zitten.

Coach Redmon begon: 'Wade, je teamgenoten van de estafette zijn gistermiddag bij me gekomen. Ze weigeren nog voor de school wedstrijden te zwemmen als jij in het team zit.' Hij keek me aan alsof hij hoopte dat hij al genoeg had gezegd. Maar ik was niet van plan het voor hem net zo makkelijk te maken als voor Dave. Ik staarde hem aan.

Hij schraapte zijn keel en ging verder. 'Het team begrijpt dat jij de wedstrijd voor hen hebt gewonnen en dat de volgende keer waarschijnlijk weer zou doen. Maar ze weten ook dat je later vast beurzen krijgt aangeboden van universiteiten omdat je zo goed kunt zwemmen. Daar willen ze je niet bij helpen.'

Ik had altijd gedacht dat het alleen tussen mij en het water ging, maar ik had me vergist.

'Zet u me uit het team?'

Coach Redmon keek naar de rector en daarna naar meneer Eastland, en niet naar mij. 'De jongens hebben de steun van hun ouders.'

Carrie schoof naar voren op haar stoel. Mijn vader legde zijn hand op haar schouder. Ik denk dat hij wist dat de strijd al verloren was. We keken elkaar even aan.

Toen keek ik naar de man in het nette pak. 'Hij is een advocaat, hè?'

Stilte. Het was duidelijk.

'Als jullie me uit het team zetten, kunnen mijn ouders naar de rechter gaan, en dat winnen ze misschien. Dus willen jullie dat ik het makkelijk voor jullie maak.'

'Wade,' zei coach Redmon. Hij sloot zijn ogen en zuchtte. Toen hij zijn ogen weer opendeed, staarde hij naar de tafel. 'Als je zwemt, ben je de enige van het team.'

Even schoot het door me heen hoe fijn ik het zwemmen had gevonden, voordat ik in het team kwam. Het leek lang geleden.

'Coach, hou dat team maar. Ik doe niet meer mee.'

Coach Redmon gaf me een afgemeten knikje. Het ergste was dat hij opgelucht leek, en er niet mee zat. Hij vond het helemaal niet erg om me kwijt te raken. Hij schoof zijn stoel naar achteren en ging weg zonder me een hand te geven.

'Ik zal het kort maken,' zei ik tegen de rest. 'Niemand wil me hier. Jullie hebben een heleboel telefoontjes gehad van ouders en daar zijn jullie bang voor. Daarom gaan jullie druk uitoefenen op mijn ouders om me hier weg te halen. Het Pak is hier om jullie rugdekking te geven.' De enige die me aankeek was het Pak.

'Goed. Voortaan krijg ik thuis les. Print de papieren maar.' Ik keek om naar mijn ouders. 'Pa, wil je ze tekenen?'

Het werd nog erger. De kranten pikten het verhaal op. Ik denk dat het in strijd was met mijn rechten als minderjarige, maar omdat ik het zelf als eerste had verteld, misschien ook niet. Jay, Brandon, Brendan en zelfs A.L. werden geïnterviewd. Op de voorpagina's stonden grote koppen over de KINDERMOORDENAAR IN ONZE STAD. De kranten schreven dat ik rechtstreeks uit een gesloten psychiatrische inrichting naar Whitestone was gekomen, en ze rakelden alle gruwelijke details weer op. Ik was het onderwerp van preken in de kerk. Iedereen had een mening over me. Maar alleen de boosaardige kwamen in de krant.

Mijn vader werkte als operator in een chemische fabriek. Zijn collega's klaagden dat ze hem niet vertrouwden in de buurt van ontvlambare stoffen. Ze vroegen om niet bij hem in de ploeg te worden ingedeeld, voor hun eigen veiligheid. Er was geen reden om hem te ontslaan. Het was allemaal niet wettig, maar mijn vader had dit al eerder meegemaakt. Als ze je ergens niet willen, krijgen ze het wel voor elkaar dat je zelf weggaat. Je krijgt ook betere getuigschriften als je het gemakkelijk voor ze maakt.

Carrie gaf les op de basisschool. De ouders van kinderen in haar klas gingen naar het schoolbestuur, en ze werd met verlof gestuurd. Ons huis werd een doelwit van vandalen. Ze gooiden met eieren, spoten graffiti op de muren, stortten vuilnis op het gras en staken het aan. We werden met de dood bedreigd, door de telefoon en via de post.

'We verhuizen naar Texas,' zei Carrie. 'Naar mijn huis aan het strand. Ik heb een baan gevonden in een boekwinkel in Lake Jackson. Ze hebben me telefonisch aangenomen. En in Freeport zijn chemische fabrieken. Daar kan je vader vast wel een baan krijgen. Waarom zouden we hier blijven? Ik hou van dat huis. Ik hou van het strand. Jij zult het er ook fijn vinden.'

Ik betwijfelde het. Het kon me niet schelen waar we naartoe gingen. Het deed er niet toe. Als we hier maar weggingen.

Ik had een laatste gesprek met de Sprinkhaan. Ik had een verwijzing nodig voor een psychiater in Freeport.

'Zo, je hebt het eindelijk gedaan, hè? Jezelf in brand gestoken?' zei ze terwijl ze me een papiertje gaf.

'Daar komt het wel op neer.'

'Waarom? Ging het te goed?'

Ik werd een beetje agressief. 'Moet ik me dan eeuwig blijven verstoppen? Ik heb alleen mijn vrienden verteld wie ik ben en wat ik heb gedaan, maar zij bleken geen vrienden te zijn. Ze willen niets meer met me te maken hebben. En al die bekrompen mensen hebben mijn ouders er ook op aangevallen. Bestaat er dan geen vergeving?'

'Ja, die bestaat. Maar je moet erom vragen. En eerst moet je jezelf om vergeving vragen.'

'Ik haat dat gelul. Het is quasipsychologische shit van de tv. Ik vind niet dat ik voor dit gesprek moet betalen.'

'Je zou voor geen van onze gesprekken moeten betalen. Je hebt er niet veel aan gehad.' Ze drukte haar ellebogen tegen haar lichaam alsof ze haar insectenvleugels opvouwde. Ik liep de kamer uit.

We vertrokken zonder afscheid te nemen. Omdat we de huur van ons huis niet op tijd hadden opgezegd, raakten we onze borg kwijt. Alsof de huiseigenaar liever had gehad dat we bleven, zodat zijn huis telkens werd beklad en bevuild.

We vulden mijn vaders pick-up en een gehuurd busje, en ik reed afwisselend met mijn vader en Carrie mee. Carrie zei telkens dat ze het zo fijn vond om aan het strand te gaan wonen, en ze had het er niet één keer over dat een baantje in een winkel wel een achteruitgang was na lesgeven, wat ze zo graag deed. Mijn vader noemde het een paar keer een nieuw begin en zei dat hij het in Indiana toch niet prettig had gevonden. 'Van religie tot sport – het is allemaal te netjes geregeld,' zei hij.

Maar ik wist wel beter. Hij had er moeite mee om weer alles te moeten opgeven. Hij had er genoeg van om zich altijd zorgen te maken over mij, en onder druk te staan. Om te wachten tot de hemel weer naar beneden kwam. En te weten dat ik daarvoor zou zorgen.

Nou ja, daar moest ik nu maar niet aan denken.

Deel 3

Texas

Carrie vond elke auto vóór haar een belediging. Ze ging aan zijn bumper hangen, zwiepte een baan naar links, met het gas op de plank, en zwaaide terug naar 'haar' baan, terwijl ze gewoon ontspannen doorpraatte. Mijn vader en ik waren eraan gewend en hadden haar auto gevuld met onbreekbare spullen. Het enige kwetsbare in haar auto was homo sapiens. Ik maakte mijn riem vast omdat ik wist dat Carrie het wilde. Mijzelf kon mijn veiligheid niet veel schelen.

Terwijl Carrie afwisselend remde en vol gas gaf, prees ze me het strandleven aan.

'Ik zal je leren zeilen, als de Hobie Cat nog in de loods ligt.'

'Wat is een Hobie Cat?'

'Een schitterende kleine catamaran zonder zwaarden. Je kunt hem zo vanaf het strand te water laten, en terugzeilen tot op het zand. Het is een heerlijk gevoel. Ik ben benieuwd hoe jij het vindt om over het water te scheren, in plaats van erdoorheen.'

Ze keek me aan. Ik wees voor ons uit naar de weg. Ik had tegen mijn vader en Carrie gezegd dat ik nooit meer wedstrijden wilde zwemmen. Voor mij geen zwembaden meer, geen geklokte tijden, geen teams. Geen water met de kleur van vergeet-mij-nietjes.

'Klinkt goed,' zei ik. Niets klonk nog goed. Ik deed maar een beetje enthousiast omdat Carrie zo opgewonden was.

'Weet je nog steeds zeker dat je thuis wilt leren?'

'Carrie, ik zou het misschien nog weleens kunnen proberen op een andere school, maar als het misgaat... krijgen pa en jij weer diezelfde ellende.'

'Wade, wij...'

'Pa zegt dat ik het aan hem verplicht ben om gelukkig te worden,' viel ik haar in de rede, omdat ik niet voor de zoveelste keer wilde horen dat mijn vader en Carrie onvoorwaardelijk aan mijn kant stonden. Ik wilde gewoon met rust gelaten worden. 'Maar de enige manier waarop ik misschien een beetje gelukkig kan worden, is door weg te blijven van mensen en school.'

'En therapie?'

'Als jullie het willen, ga ik erheen.'

Ik zakte onderuit op mijn stoel. 'Maar veel kansen heb ik niet meer.'

In Indiana had ik mijn geluk opgebruikt. De plaatselijke kranten hadden mijn verhaal met grote koppen afgedrukt, maar vreemd genoeg waren ze er toen plotseling over opgehouden. In de landelijke kranten en op de televisie werd niets over mij gezegd. Het scheen dat de Amerikaanse Vereniging voor Burgerrechten op zoiets had gewacht. Dokter Lyman had ze gewaarschuwd. Ik was nog minderjarig toen ik vertelde wat ik had gedaan. En ik was natuurlijk ook minderjarig toen ik de misdaad beging. Mijn dossiers waren verzegeld. Als de nationale pers mijn naam noemde, konden ze op een proces rekenen. We konden naar Freeport gaan zonder veel risico om ontdekt te worden.

'Wade, ik denk dat je nog steeds kansen hebt. Mogelijkheden voor een fijn leven. Een gelukkig leven. Maar je moet doorgaan met therapie, zodat je jezelf niet opnieuw te gronde richt.'

Carrie liet dat even doordringen. Toen ze verderging klonk haar stem niet meer optimistisch. Haar toon had eerder iets van: we-nemen-geen-krijgsgevangenen. 'Je vader kan het niet meer aan. Telkens verhuizen. Zijn baan kwijtraken. Al die haat voelen. En ik wil dit huis niet verliezen. Het is echt iets van mij.'

Echt iets van mij. Zou ik ooit dat gevoel hebben? Was dat wat in mij ontbrak? Alles wat ik had waren schuldgevoelens, en die wilde ik niet.

'Ik heb het al gezegd. Ik ga niet naar school, ik zal niet drinken, en ik heb mijn lesje wel geleerd. Maak je geen zorgen, Carrie.'

Ik zette de radio aan en sloot mijn ogen, maar Carries vol-gas-en-remmen-rijstijl hielp niet om in slaap te vallen. Ik ging weer rechtop zitten. Ze zette de radio uit.

'Er is iets wat ik me altijd heb afgevraagd,' zei Carrie.

'Ik ben nooit blij met wat er daarna komt,' zei ik.

'Waarom wil je niet leren rijden?'

Ik fronste mijn voorhoofd. 'Ik dacht dat je dat wel zou begrijpen. Je bent behoorlijk slim. Pa begrijpt het.'

'Sorry, dan heb ik iets gemist,' zei Carrie.

'Ik durf niet.'

'Durf je niet? Het is echt niet moeilijk.'

Ik keek haar ongelovig aan. 'Carrie. Stel je voor. Ik achter het stuur van een zware machine, die makkelijk kan doden. Ik. Bekend om mijn slechte keuzes. Stel je voor dat ik boos word op iemand terwijl ik een auto bestuur.'

'O,' zei Carrie.

'Ik ga liever met de bus of liften dan dat ik me daar ook nog zorgen over moet maken.'

'Ja, dat is logisch. Sorry dat ik het niet begreep,' zei Carrie.

Ik draaide mijn hoofd om haar aan te kijken. 'Razernij in het verkeer. Het is nu bijna om te lachen. Ik heb de energie niet meer om razend te worden. Ik heb nauwelijks de energie om de ene voet voor de andere te zetten. Ik kan het niet opbrengen om ergens een barst om te geven.'

Het klonk zo huilerig dat ik verwachtte dat ik tranen in mijn ogen zou krijgen. Maar daarvoor had ik blijkbaar ook niet genoeg energie.

We reden meer dan een uur zonder iets te zeggen. Ik keek naar het langsflitsende landschap, zoals vroeger als de maniakkenmeute verveeld zat te zappen, eindeloos op zoek naar iets waardoor ze weer contact konden krijgen met de wereld.

Ten slotte zei Carrie: 'Ik denk dat je zeilen fijn zou vinden.' Ze voelde waarschijnlijk dat ik te ver afdwaalde, en wilde me dichter naar haar toe halen. 'Het is een goede manier om meer te gaan begrijpen van natuurwetenschap. De wiskunde van golven, de anatomie van schelpen, de zeedieren in zoutwaterpoelen, wolken, het weer – dat is allemaal interessant als je het vlak voor je neus hebt.' Ze scheurde tot aan een achterbumper, terwijl ze met een hand naar de voorruit gebaarde.

Even was ik verbijsterd. Carrie deed nog steeds haar uiterste best om me te redden.

'Carrie, je rijdt als een maniak, dus denk ik dat ik iets hardop moet zeggen voordat je ons in het handschoenenkastje van die oude man parkeert.'

'Wat dan, angsthaas?'

'Ik ben blij dat pa je heeft gevonden en zo verstandig was je vast te grijpen en niet meer los te laten.'

Er sprongen tranen in Carries ogen, en ze schraapte haar keel. 'Je moet niet flirten met een oude getrouwde vrouw. Zorg er maar voor dat je zelf een vriendin krijgt.'

'Dat gebeurt toch niet,' mompelde ik.

Maar het gebeurde wel.

Hij heeft het over mij, dacht ik. Nu komt hij naar Freeport. En ontmoet mij.

Ik kon even niet verder lezen. Ik legde de schriften op een stapeltje op de vloer naast mijn bed en kroop onder de dekens. Het regende nog steeds. De druppels kletterden tegen de ruiten en roffelden op het dak.

En iets wat Wade had geschreven roffelde in mijn hoofd: dat hij een dief was die Daves vriendschap had gestolen. Dat had hij bij mij toch ook gedaan? Ik had hem vertrouwd. Ik had hem mijn verhaal verteld. De geheimen waarvoor ik me schaamde.

Maar ik was ook pas over mijn verleden begonnen toen ik wist dat hij de roddels had gehoord.

Ik kroop onder de dekens vandaan en liep naar het raam. Ik zag alleen duisternis.

Ik had hem verteld dat ik klaar was met boete doen. Maar hoe kan iemand stoppen met boeten als hij een kind heeft gedood? Hoe kon ik Wade ooit weer aankijken zonder hem als een moordenaar te zien? Hem daar te zien staan terwijl dat jongetje gilde en in brand stond? Dave kon het niet. Dat kan toch niemand?

Ik moest gaan slapen. Ik moest moed verzamelen om de laatste schriften te lezen. Om te lezen wat Wade over mij dacht.

Zou ik ooit nog met hem kunnen praten?

En wat zou ik dan zeggen?

Wat kon ik zeggen?

Ik reed weer mee met mijn vader en vertelde hem dat ik Carrie had uitgelegd waarom ik geen auto reed.

'Of je wilt of niet, je zult je angst voor autorijden moeten overwinnen, Wade. Er is geen bus die tot bij het strand komt. Je moet zelf leren rijden.'

'Ik kan het nu wel aan, denk ik. Hier heb ik de school niet meer, of het zwemteam. En ook geen vrienden. Het lukt me wel.'

Mijn vader probeerde te glimlachen, maar zijn gezicht was gespannen.

'Pa, er is nog iets anders waarover Carrie en ik hebben gepraat.'

'Wat dan?'

'Dat ik mijn mond moet houden.'

Mijn vader greep het stuur hard vast. 'Ik wil niet dat je denkt dat we ons voor je schamen. Dat is niet zo. Dat is nooit zo geweest. Je was een kind, Wade. Je begreep het niet. Verdomme, het was net zo goed mijn fout...'

'Zeg dat nou niet, pa. Echt, ik voel me nog rotter als jij de schuld op je probeert te nemen.'

'Wade...'

'Waar het om gaat, is dat ik begrijp dat ik het aan niemand mag vertellen. Als ik dat doe om mezelf te schaden, bezorg ik jullie nog meer ellende.'

'Het is belangrijk, Wade. Wij begrijpen wat je jaren geleden is overkomen. Wij begrijpen wat je nu doormaakt. Maar andere mensen niet. Ze kunnen het niet, ze willen het niet eens proberen, of ze zijn gewoon te bang. En als ze het dan horen, zien ze alleen een probleem waar ze vanaf willen.'

'En jij wilt hier niet meer weg.'

Zijn gezicht zag er ouder uit dan zou moeten. Met rimpels van verdriet en zorgen. 'Ja, Wade. Ik ben moe. Het is alsof de radio aldoor hard heeft staan tetteren, en ik hem even uit wil zetten.'

Ik knikte en keek recht voor me uit. Toen realiseerde mijn vader zich wat hij had gezegd. 'Wade, *jij* bent niet de radio. Dat bedoelde ik niet.'

Maar zo was het wel. Ik was die radio die aldoor te hard aanstond.

Carrie was voorop gaan rijden en wij volgden haar. Toen we boven op een hoge boogbrug reden, zagen we de Golf van Mexico.

'Het is niet blauw,' zei ik. 'Het water is niet blauw.'

'Nee,' zei mijn vader. 'Eerder groen. En ook niet echt helder.'

Hij klonk teleurgesteld.

Nou, dat was ik niet.

Na de brug sloegen we linksaf. We volgden Carrie een flink eind over een weg langs het strand. Toen sloeg ze rechtsaf, een oprit van schelpen op.

Het huis stond op palen; de ruimte eronder was met board afgeschermd en voor een deel helemaal gesloten. Dat was waarschijnlijk de loods waar Carrie het over had gehad. Een lange trap leidde omhoog naar het witte huis met groene luiken. De verf was er slecht aan toe, maar er hingen manden met kleurige bloemen aan de dakranden en er stonden ook plantenbakken op de balustrade van de veranda die uitkeek op de Golf.

'Wie zou dat gedaan hebben?' zei Carrie terwijl ze naar de bloemen wees.

'Ik kan het huis voor je afkrabben en schilderen,' zei ik. Het zou me in elk geval bezighouden, weg van andere mensen. Door mijn lichaam te straffen kon ik mijn geest verdoven.

Carrie liep naar het strand. 'Er is veel erosie geweest,' zei ze. 'Het strand komt bijna tot aan het huis.'

Het was een winderige dag. Het enige dat ik zag en hoorde, waren de golven die tegen het zand sloegen. Ze maakten een wild soort muziek, die mijn hoofd vulde en iets binnen in me tot rust bracht. Had ik mijn hele leven naar dit geluid gezocht?

Ik haalde diep adem. De geur van zout en een vleugje vis, maar toch schoon en vol leven. Niet de steriele geur van chloor, maar iets wat... groei mogelijk maakte? Ik had gedacht dat ik van het zwembad hield, maar het zwembad was alleen een aanloop geweest, een voorproefje, training. De Golf, met zijn tomeloze, wilde, onbedwingbare kracht... die was pas echt.

'Kijk nou eens,' zei Carrie. Ze wees naar een bootje met witte zeilen dat onze kant op kwam. Carrie hield een hand boven haar ogen, en de boot rees omhoog op een golf en ging bovenop overstag. Toen de zeilen klapperend naar de andere kant gingen, werd er een figuurtje zichtbaar. De boot scheerde over de golf tot hij honderd meter van ons vandaan het zand bereikte en schurend tot stilstand kwam. De zeilen lieten de gevangen lucht vrij en werden slap.

'Goed gedaan,' mompelde Carrie.

Het meisje dat uit de boot sprong, droeg een wetsuit en haar lange bruine haren fladderden in de wind. Ze zwaaide naar ons en begon toen de boot vast te leggen. Carrie liep naar haar toe en wenkte dat mijn vader en ik mee moesten komen.

'Hoi,' zei het meisje, terwijl ze een leren handschoen zonder vingers uittrok en haar hand uitstak. 'Ben jij Carrie? Grants stiefdochter?'

Carrie gaf haar een hand. 'Ja, ik ben Carrie.'

'Ik ben Sam. Ik woon hiernaast. We waren bevriend met Grant. Hij heeft me veel over je verteld.' Ze wees met haar duim over haar schouder. 'Ik mocht altijd de boot gebruiken van hem. Hij heeft me geleerd om ermee te varen. Er zitten nieuwe zeilen op sinds je hem voor het laatst hebt gezien. Ik wilde nog één keer varen voor ik hem aan je teruggeef. De boot hoort bij het huis.'

Carrie glimlachte. 'Het hoeft niet de laatste keer te zijn. Als Grant je zijn boot toevertrouwde, doe ik dat ook. Maar...' Ik kon de radertjes in haar hoofd horen draaien. 'Er is één voorwaarde. Je moet mijn stiefzoon leren zeilen. Ik zou het zelf wel kunnen doen, maar ik heb er gewoon geen tijd voor.'

Sam aarzelde. Toen keek ze om naar de boot. 'Afgesproken,' zei ze, en ze stak een hand naar me uit. Heel zakelijk.

'Ik ben Wade,' mompelde ik terwijl ik haar stevige, ruwe hand vastpakte. Dit was geen meisje dat elke avond zorgvuldig haar handen insmeerde met crème.

'Je hebt een wetsuit nodig als je deze maand al wilt beginnen. Maar we kunnen ook over de theorie van golven en wind praten tot het warmer wordt, als je dat wilt,' zei Sam.

'Weet je wat, kom over een dag of twee bij ons eten. Dan kunnen we het erover hebben,' zei Carrie.

Waarom deed Carrie dit? Ze wist dat ik er niet aan toe was.

'Sorry,' zei ik een beetje geërgerd tegen Sam. 'Het lijkt erop dat Carrie een soort pooier is geworden. Ik zal haar mond moeten volstoppen met zand.'

Sam verstijfde. 'Nou, ik heb een vriend. Dus Carrie heeft pech. Maar jij zit vast aan de afspraak, want ik wil graag blijven zeilen met *Elton*.' Terwijl ze zo ontspannen had gepraat met Carrie, leek ze te verkrampen door mijn aanwezigheid.

'*Elton?*'

'Grant was dol op "Rocket Man". Dat oude liedje van Elton John zong hij vaak als we aan het zeilen waren. Daarom hebben we de boot *Elton* genoemd.'

'Zou het dan niet logischer zijn om de boot "Rocket Man" te noemen?' Het klonk spottender dan ik bedoelde. Ik leek wel een van de jongens van de maniakkenmeute.

'Dat vind jij misschien.' Sam draaide zich om naar Carrie. 'Nu willen jullie vast het huis bekijken. Ik heb een reservesleutel en heb het schoongemaakt. Ik zal de boot afspoelen, op de trailer leggen, en hem in de loods zetten. De sleutels breng ik je later wel. Ik heb straks college. Anders zou ik je wel helpen.'

'College?' vroeg mijn vader.

'Ja, op de plaatselijke hogeschool.'

Ze had niet alleen een vriend, maar als ze colleges volgde op de hogeschool, was ze te oud voor me. Toch zag ze er niet zo oud uit. Ik vond haar... nou ja, zoals Carrie zou zeggen... een lekker ding.

De wind en de golven en het groene water waren geweldig. De boot die over de golven scheerde was geweldig. En zij was... mooi, arrogant, en... geweldig.

En ze vond me helemaal niet aardig.

Geweldig.

We klosten de trap op. Er was een hordeur voor de houten deur die Carrie openmaakte met de sleutel. De begane grond was één grote open ruimte. Een keuken, een eetkamer en een woonkamer, allemaal met elkaar verbonden, met overal ramen waardoor de Golf een deel leek van het meubilair. Ik had nog nooit in zo'n fijn huis gewoond.

Ik begon me steeds ellendiger te voelen.

'Achter de keuken is een kleine badkamer,' zei Carrie. 'Boven zijn drie slaapkamers en twee echte badkamers.' Langs een muur was een open trap met treden die leken te zweven. Ik sjokte de trap op en bekeek de slaapkamers. De grootste, met de aansluitende badkamer, was natuurlijk voor Carrie en mijn vader. Die daarnaast sloeg ik over – zij zouden mijn muziek niet willen horen en ik wilde hen niet horen.

De enige andere slaapkamer had uitzicht op de Golf. Wanneer ik ging slapen of wakker werd, kon ik daar de golven zien en horen in hun gevecht tegen de kust. En als het gevecht daar buiten was... kon ik het misschien loslaten.

Ik zwaaide mijn tas op het bed. Plaatjes van zeilboten op de muren. Schelpenverzamelingen op de planken. En een lappenpop. Met rood haar en rood wit gestreepte benen.

'Pippi Langkous,' zei Carrie achter me. 'Dit was mijn kamer. Niet te geloven dat Grant hem precies zo heeft gelaten.'

'Het lijkt meer op een jongenskamer, behalve de pop dan.'

'Ik was geen meisjesachtig meisje. Ik had een hekel aan roze. Nog steeds, trouwens.' Ze pakte de pop uit mijn handen. 'Maar ik was dol op haar. Ze had lef.'

'Dat heb jij dan blijkbaar van haar,' zei ik.

'Nu we het toch over lef hebben,' zei Carrie, 'je noemde me

daarnet een pooier. Had je geen koppelaarster kunnen zeggen?'
Ze stompte me zacht tegen mijn hoofd. 'Wat een grote bek heb je
toch.'

'Carrie, doe nou een beetje kalm aan. Je hoeft geen vriendin
voor me te regelen. Laat me een tijdje met rust, oké?'

Ze liep de trap af. 'Misschien moeten we een hond nemen. Honden zijn tenminste braaf.'

Ik liep achter haar aan. 'Wou je me inruilen voor een hond, of
er een bij nemen?'

'Hmm, daar moet ik over nadenken.'

'Ja, maar ik blaf niet, ik heb geen vlooien, ik poep in de wc en
ik lik mijn kont niet,' zei ik.

Carrie hield haar hand omhoog als een verkeersagent. 'Stop, je
hebt me overtuigd. Ik zal nooit, nooit meer proberen een meisje
voor je te vinden. Dat zou gewoon wreed zijn.'

'Eindelijk heb je het begrepen.'

We sjouwden met dozen, richtten kasten in, kochten slippers en
vulden de formulieren in voor mijn lessen thuis. Mijn vader vond
een baan bij een bedrijf dat voor een van de chemische fabrieken in
de streek werkte. Zijn werkgever in Indiana gaf hem een prachtige
aanbevelingsbrief, omdat hij uit zichzelf wegging en geen problemen maakte.

We regelden een internetaansluiting en ik dook weer in de boeken. De literatuurlessen waren leuk en makkelijk, wiskunde was
onmenselijk, en economie interessant. Geschiedenis van Texas was
verplicht, maar ook echt de moeite waard. Ik kwam er nota bene
achter dat ik nu in een republiek woonde. Ik nam psychologie als
keuzevak – waarom niet? Ik had ook een studiepunt nodig voor
natuurwetenschap en ik vond 'Zeilen: de dynamica van wind en
golven'. Daar gaf ik me voor op.

En ik leerde nog iets. Mijn vader nam me mee naar stille ach-
terafstraten en leerde me autorijden. Hij zei dat ik erger was dan

Carrie. Maar hij lachte toen hij het zei. En ik wist dat deze streek een klein wonder had verricht.

Mijn vader was gelukkig. Hij klaagde dat de huizen hier te dicht bij elkaar stonden, maar daarover zeurde hij in Indiana ook. Als je een ander huis met een verrekijker kon zien, stond het volgens hem te dichtbij. Maar die ontembare Golf, een leegte die zich uitstrekte tot aan de horizon, sprak mijn vader wel aan, geloof ik. Hij toonde geen belangstelling voor de boot, maar Carrie en hij maakten strandwandelingen en hij zat vaak op de veranda en keek naar de golven en de ondergaande zon.

Op een avond zat ik bij hem.

'Je ziet er beter uit, Wade. Niet zo... hoe moet ik het zeggen... wezenloos,' zei hij.

'Het is februari en het sneeuwt niet. Kan het beter?'

Hij vouwde zijn handen achter zijn hoofd.

'Ik vind mijn lessen leuk. Behalve wiskunde dan. Maar thuis leren is fijn,' zei ik.

'Ga je hier onderduiken?'

Ik gaf geen antwoord. Aan zijn toon te horen vond hij dat geen goed idee.

'Ik begrijp dat je jezelf en ons niet in gevaar wilt brengen, Wade. Maar pas op dat de ruimte waarin je je prettig voelt, niet te klein wordt.'

Ik vond een kleine leefruimte prima en ik had geen behoefte aan bezoek.

De volgende dag keek ik rond in de loods, vond een verfkrabber en een ladder, en ging aan het werk. Ik wist wat me te wachten stond. Het begon met een waarschuwing van mijn vader, en dan ging Carrie tot actie over. Dat moest ik voorkomen. Daarom besloot ik overdag verf te krabben en 's avonds te leren. Ze konden toch niet verlangen dat ik een plek zocht in de grote wereld als ik zo druk bezig was in mijn eigen kleine ruimte?

Maar ik onderschatte mijn stiefmoeder.

Carrie had plezier in haar werk in de boekwinkel en voorspelde dat ze er binnen een halfjaar de leiding zou hebben. Het was een slechtlopende winkel op een prima plek, en ze haalde de eigenaar over om de inrichting te veranderen, een koffiehoek te beginnen en ook een paar tafeltjes buiten op de stoep te zetten.

'Er zijn nieuwe boeken binnengekomen en ik heb een sterke rug nodig om me te helpen bij het uitladen. Zou je vandaag even kunnen stoppen met verf krabben?' vroeg Carrie bij het ontbijt.

Ik haalde diep adem.

'Wade, je moet af en toe weg van dit strand. Je hoeft niet met klanten te praten. Alleen met wat dozen sjouwen.'

Ik keek naar haar over de tafel. Aan haar glimlach te zien had ik geen schijn van kans.

'Oké.'

Maar Carrie was nog steeds aan het koppelen. De zestienjarige dochter van de eigenaar werkte na school en in het weekend in de koffiehoek.

'O, Jessica, dit is mijn stiefzoon Wade. Hij komt helpen met die dozen die naar de eerste verdieping moeten.' Ze draaide zich naar mij. 'Wade, dit is Jessica.'

'Hoi, Wade,' zei Jessica. 'Ik ben aan het leren om allerlei soorten koffie te maken. Heb je zin om proefkonijn te zijn, tussen de dozen door?'

Ik knikte naar Jessica, die er leuk uitzag, en keek toen boos naar Carrie. 'Waar zijn de dozen? Je hebt niets gezegd over een eerste verdieping toen je het me vroeg.'

Carrie nam me mee naar achteren. 'Ook niet over een meisje. Anders zou je nog steeds verf krabben.'

Ik pakte een doos, liep de winkel door en de trap op.

'Als je terugkomt heb ik een mocha cappuccino voor je,' zei Jessica.

'Goed zo, Jessica,' zei Carrie. 'Wade is dol op chocolade.'

Ik zette de doos op de grond naast de planken die Carrie had aangewezen.

'Dit gaat de hele dag duren als ik na elke doos koffie drink.'

'Ik werk tot vijf uur en je hebt geen andere manier om naar huis te gaan.'

'Ik kan je auto jatten.'

'Drink nou maar koffie. Doe aardig.'

Voor het eerst sinds ik naar Texas was verhuisd, kreeg ik hoofdpijn.

Ik kloste de trap af en ging op een kruk zitten voor de koffie.

'Je kent hier niemand, hè?' zei Jessica.

Ze haalde die meisjestruc uit waarbij ze door hun wimpers omhoogkijken. Ze had lange wimpers. En fonkelende bruine ogen. Hier was niks mis met de netspanning. Dit meisje zat vol leven.

'Nee, nog niet.'

'Mijn moeder zegt dat je niet naar de middelbare school gaat. Je gaat thuis leren. Klopt dat?'

'Ja hoor. Ben jij een spion of zo?' Ik probeerde het luchtig te laten klinken, maar al dat gevraag beviel me niet.

'Dan leer je dus niemand kennen en word je een soort strandkluizenaar als je geen hulp krijgt. Zullen we zaterdag naar de film gaan?'

'Samen?'

'Nee, natuurlijk niet,' zei ze. 'Jij gaat erheen, en ik ook. Jij gaat voorin zitten, en ik achterin, en dan vergelijken we over een paar maanden onze aantekeningen.' Jessica zette een hand op haar heup. 'Schatje, volgens mij zijn ze in Indiana sociaal gehandicapt. We moeten aan je revalidatie werken.'

'Hij is verlegen,' zei Carrie over mijn schouder. 'Hij heeft oefening nodig. Ik denk erover om hem in te ruilen voor een hond. Maar we wachten tot hij klaar is met het schilderen van het huis.'

Ik schoof mijn lege koffiekop van me af. 'Dat was lekker.'

'Na de volgende doos staat er een vanilla latte voor je klaar.'

Carrie sleurde me bijna van mijn kruk.

Toen we in de opslagruimte waren, vroeg ze: 'Wat was daar aan de hand?'

'Dat weet je best. Volgens mij was het je bedoeling. Jessica heeft me mee uit gevraagd.'

'En?' zei Carrie.

'Ik vond haar enger dan Jackpot.'

'O ja, je gaat weer naar de psychiater.' Carrie schudde haar hoofd.

Ik droeg de doos de trap op, met Carrie op mijn hielen. Boven ging ze vlak voor me staan. 'Wade, je gaat met dat meisje naar de film. Je mag geen kluizenaar worden. Dan verspeel je alle vooruitgang die je hebt geboekt.'

'Was het vooruitgang dat we de stad uitgejaagd zijn?'

'Je hebt vrienden gemaakt en je hebt mensen vertrouwd. Dat was niet het probleem.'

Voor het eerst vond ik dat Carrie er niets van snapte. 'Juist wel,' zei ik.

'Het kan me niet schelen. Zeg tegen Jessica dat je met haar naar de film gaat. Anders...'

Ik hield mijn handen omhoog. 'Oké. Laat je me nou met rust?'

Carrie keek gekwetst. Dat vond ik naar, maar ik had er zo genoeg van om mijn best te doen. Maakte het uit of ik een brave hamster was of een stoute hamster? Ik liep toch in een looprad naar nergens. Waarom wilde Carrie dat ik iemand uitnodigde om bij me in mijn rad te komen?

Zoals we hadden afgesproken, kwam Sam een keer bij ons eten. Ik kon niet veel anders dan naar haar staren. Tegen de tijd dat ik naar de middelbare school ging, had ik wel enige controle gekregen over het eenogige monster dat een tentje opzette zodra hij zin had om te kamperen, maar Sam... Het lukte me nauwelijks om tegelijk te praten en het monster in bedwang te houden.

Ze leek op de Golf. Ze was fris en bracht de wind en de golven mee de kamer in. Ze was sterk en vol vechtlust als het moest. Maar ze kon ook kalm en ontspannen zijn, en kabbelen langs het strand. Misschien verbeeldde ik het me. Maar ik dacht het niet.

Ik hielp haar de tafel te dekken terwijl ze over haar schouder met Carrie praatte.

'Ja, ik zou eigenlijk nog op de middelbare school moeten zitten. In de eindexamenklas. Maar ik heb een tijdje vrij genomen en thuis vooruit gewerkt. Daardoor heb ik al in december examen kunnen doen, een halfjaar eerder dan normaal. Nu volg ik colleges op de hogeschool. De basisvakken die je overal kunt gebruiken. Maar ik denk erover om mariene biologie te gaan studeren. Ik ben verslaafd aan de zee. Dat komt door Grant.'

Carrie zette de stoofschotel op tafel. 'Was je bevriend met Grant?'

'Hij heeft me enorm geholpen toen ik hulp nodig had.'

Sam draaide zich om en wees naar een lamp. 'Zie je die?' zei ze snel, om over iets anders te beginnen.

Carrie glimlachte. De onderkant bestond uit een glazen gemberpot gevuld met schelpen.

'Die heb ik voor hem gemaakt. Hij had bergen schelpen die jullie samen hadden verzameld. Maar hij had er geen goede plek voor en was bang dat ze zouden breken. Ik heb die lamp gekocht en er de mooiste schelpen in gedaan. Het was een van zijn lievelingsdingen, omdat het hem aan jou herinnerde.'

Carrie had net de schaal met pasta opgetild, maar zette hem weer neer. Ze leunde tegen het aanrecht en hield haar handen voor haar gezicht.

'Carrie, ik wilde je niet verdrietig maken,' zei Sam, die nu net zo ongelukkig keek als Carrie.

'Ik weet het. Waarom heb ik geen contact gehouden met Grant? Waarom ben ik nooit meer bij hem langsgegaan?'

Sam keek naar mij, en toen weer naar Carrie. 'Grant heeft een keer tegen mij gezegd dat hij zichzelf "onbereikbaar" maakte als je probeerde te komen. Maar niet omdat hij dat zelf wou.'

Mijn vader stond op van de bank en trok Carries handen weg van haar gezicht. Daarna sloeg hij ze rond zijn middel.

'Sorry dat ik hierover begonnen ben,' zei Sam tegen Carrie. 'Toen je moeder ging hertrouwen, is ze hierheen gekomen. Grant en ik waren de boot aan het klaarmaken om te zeilen. Ze zijn naar boven gegaan om te praten.'

Sam hield haar handen op haar heupen en liep in een klein kringetje. 'Ik heb altijd gedacht dat je dit wist.' Ze bleef staan. 'Toen je moeder weg was, vertelde Grant me dat ze had gezegd dat hij jou nooit meer mocht ontmoeten of met je praten. Ze dacht dat hij je anders op de een of andere manier zou laten kiezen tussen je moeder en haar nieuwe man, en hem.'

Carrie rechtte haar rug en klemde haar kaken op elkaar.

'Ik begin te begrijpen waarom ik je lieve mammie nooit heb ontmoet,' mompelde mijn vader.

Carrie balde haar vuisten. 'Grant was de enige die tijd en liefde voor me overhad, en mijn moeder heeft hem weggestuurd.' Ze leek niet meer op de Carrie die ik kende. Eerder op de Carrie die bij elke auto vóór haar tot op de achterbumper moest rijden.

Toen ontspande ze zich en rekte even haar nek. Ze raakte Sams wang aan. 'E-mail. Daarom stuurde hij altijd e-mails. Hij zou nooit een belofte breken, dus verzon hij een trucje.' Ze glimlachte met tranen in haar ogen. 'Dank je, Sam. Je hebt geen idee wat je voor me hebt gedaan. Je bent geweldig.'

Plotseling keek Sam alsof Carrie haar in haar gezicht had geslagen. Ze deinsde achteruit, met fonkelende verhitte ogen vol tranen.

'Het spijt me, maar ik kan niet blijven eten. Echt niet. Het spijt me.'

Het leek wel of Sam ons had geraakt met een verdovingspistool.

We keken toe hoe ze wegvluchtte, en de deur was eerder dicht dan onze monden.

Mijn vader was de eerste die zich herstelde. 'Hoe kwam dát nou opeens?' vroeg hij verbijsterd.

Jessica en ik gingen zitten, met een grote beker popcorn en onze Cokes.

'Niemand zegt hier fris,' zei Jessica. 'Je bestelt Coke.'

'En als je Dr Pepper wilt?'

'Als je Coke bestelt, vragen ze wat voor Coke. En dan zeg je DP, of wat je wilt hebben.'

Ik schudde mijn hoofd. 'En ik dacht dat Alaska raar was.'

'Dat is het ook. Je bent nu een Texaan, joh.'

Jessica nam een handje popcorn en kauwde een tijdje. Toen keek ze me vragend aan.

'Wat is er?'

'Dit is een meidenfilm. Je doet te veel je best of je bent een flikker.'

Ik leunde hard achteruit tegen mijn stoel. 'Ik had al gehoord dat ze hier gewoon zeggen wat ze vinden, maar dit is niet te geloven.' Ik zette mijn Coke in de houder en gaf de popcorn aan Jessica. Ik was hier onder dwang en nu werd ik afgezeken. Tijd om terug te schakelen en na te denken, hoorde ik Schofield zeggen. Laat de ander weten waarom ze je boos maakt. Richt je woede op de situatie, niet op de ander.

Ik telde met mijn wijsvinger de punten af op de vingers van mijn andere hand.

'Eén: ik heb geleerd om beleefd te zijn. Dat betekent dat je eerst aan de ander denkt. Ik dacht dat je dit een leuke film zou vinden.

Twee: de andere films gaan bijna allemaal over moorden, schietpartijen, explosies en branden. Voordat de titelrol begint, zijn er al een heleboel mensen dood. Ik hou niet van zulke films. Als ik dan een meid ben, oké.

Drie: ik hou wel van films over sport. Elke sport. Volgens mij ben ik dan toch niet echt een meid. Maar er draait vanavond geen sportfilm.

Vier: de hoofdrolspeelster van deze film is een stuk. Schrap flikker maar van je lijst.

Vijf: met te veel mijn best doen ben ik allang gestopt. Het lukte toch niet.'

Jessica hield een hand op en begon ook op haar vingers te tellen. 'Eens even kijken. Geen flikker, geen meid, en allang gestopt met te veel zijn best doen.' Ze grijnsde. 'Open.' Ze wees naar mijn mond. Ik deed hem open. Ze mikte er wat popcorn in. 'Nu eens kijken of hij popcorn lust.'

Ze hield haar hoofd schuin. 'Ik deed vervelend. Sorry. Het komt vast door al die kinkels hier. Kom op, kijken! Die acteur is ook een stuk.'

Ze gaf me de beker met popcorn. 'Hij lijkt wel wat op jou.'

Oké, ik hoefde geen echte kluizenaar te blijven. Maar zij hoefde geen plaatsje in mijn hamsterrad.

Toen ik op zondagochtend wakker werd, hing er een wetsuit over mijn bureaustoel. Ik rook spek en koffie, dus sleepte ik mezelf de trap af.

'Wat hebben jullie nou gedaan? Die dingen zijn duur.'

Mijn vader glimlachte. 'Ik heb meteen werk gevonden. Het huis kost niets. En Carrie zegt dat zeilen in de winter fantastisch is.'

Carrie knikte. 'Zie het maar als mijn manier om Grant te bedanken. Ik hoop dat iemand anders net zoveel van de Golf gaat houden als hij.'

'Jullie verwennen me. Toch bedankt, Grant.'

'Sam komt zo,' zei Carrie.

Ik zweeg. Ik kon tijd doorbrengen met Jessica zonder dat het me veel deed. Maar Sam was anders. Ze interesseerde me.

Het was duidelijk dat ze zelf problemen had, zei ik tegen mezelf.

Daar had ik geen behoefte aan. Maar de wetsuit was al gekocht. Misschien kon ik in één les leren zeilen.

Toen ik bezig was de wetsuit aan te trekken, kwam mijn vader mijn kamer in. 'Veel plezier vandaag,' zei hij.

'Zal wel lukken.'

'Wade, we willen graag dat je vrienden krijgt, en Sam lijkt een leuke meid...' Het was duidelijk dat hij moeite had met wat hij wilde zeggen. 'Maar ze woont hiernaast en jullie zullen elkaar vaak zien... Misschien gaan jullie... praten. Doe je dan... een beetje voorzichtig? Je weet wel wat ik bedoel.'

'Daar had ik allang aan gedacht, pa. Maak je geen zorgen. Ik zal geen geheimen vertellen. Vooral niet omdat ze zelf ook problemen lijkt te hebben.'

'Kom op, landrot, actie. Er staat een mooie zeebries.'

Ik kwam tevoorschijn in mijn wetsuit. 'Ik lijk wel een pinguïn.'

'Nee, die zijn kleiner. Jij lijkt een kerel in een wetsuit. Al die lengte en brede schouders zijn straks mooi meegenomen als je in de trapeze hangt.'

'De trapeze?'

'Wacht maar. Dat is het fijnste van Hobie Catting.'

Toen ze de loods openmaakte en me wees hoe ik moest helpen de trailer naar het strand te trekken, was ze weer de Sam van voor die vreemde instorting. Geen uitleg, geen commentaar. Ik vond het allang best.

We zetten de mast overeind. En toen de boot op het zand lag, bevestigden we ook het grootzeil, de giek, de fok en de schoten (nooit 'touwen' zeggen – touwen zijn voor koeien) op de juiste plaatsen.

Sam maakte haar vinger nat en zei dat ik het ook moest doen. Ze hield haar vinger in de lucht. 'Voel je de wind? Waar komt hij vandaan?'

'Hij waait naar ons toe. Van de Golf naar het strand.'

'Goed zo. Dat heet een zeebries. We zijn *dol* op een zeebries. Het is de droom van elke beginneling.'

'Ik ben er klaar voor. Laten we gaan zeilen.'

'Nee, nog niet. Trek je handschoenen aan.'

'Toe nou, Sam. Dat zijn toch belachelijke dingen.'

'Als je met die natte schoten werkt, veranderen je handen in hamburgers. Zonder handschoenen kom je niet in de boot. Trek ze aan.'

'Fascist,' mompelde ik. Maar ik trok de vingerloze handschoenen aan. Sam haalde een stift tevoorschijn, greep mijn rechterhand en zette een grote S op de handschoen. Daarna pakte ze mijn linkerhand en zette er een B op.

'Stuurboord is de rechterkant van de boot en bakboord de linkerkant. En de voorkant heet de boeg.'

Voordat ik iets kon zeggen of doen, gaf Sam me een zwemvest.

'Die heb ik niet nodig. Ik kan zwemmen als een zeehond.'

'Niet als je een klap van de giek hebt gehad en bewusteloos bent.' Daar kon ik niets tegen inbrengen. Ik trok het zwemvest aan.

'Wat is dat?'

Sam hield een soort luier met een grote metalen haak omhoog.

'Je harnas, om mee in de trapeze te hangen. Je stapt erin, trekt de banden aan en haakt dit metalen ding aan de kabel. Dan kun je boven het water hangen en de boot in evenwicht houden.'

Ik trok het harnas aan. De metalen haak zat vlak bij mijn kruis.

'Is het de bedoeling dat ik boven het water hang met een haak *aan mijn kruis?*'

'Ja, het is heerlijk.'

'Ik ga dood.'

'Ja, nu of later,' zei Sam.

We duwden de catamaran het water in tot hij dreef. 'Spring daarop, pak de fokkenschoot en trek hem aan als ik "nu" zeg.'

Ik deed wat ze zei. Ze sprong ook aan boord, trok de groot-schoot aan en riep: 'NU!'

Ik trok de fok strak. Sam klapte de roerbladen neer en draaide de boot ermee in een hoek van vijfenveertig graden op de wind.

'Hou je vast, we gaan over die grote golf heen.'

Hou je vast? Waaraan dan? Ik zag dat Sam haar voeten onder een paar lussen stak die aan de trampoline op het dek van de boot genaaid waren, maar voordat ik het zelf ook kon doen, schoot de boot over de kruin van de golf en dook in het golfdal erachter.

Het leek of de boot onder me vandaan viel, en ik klapte hard op de aluminium zijstang. Mijn knie raakte de klamp van de fok-kenschoot.

'Wat was dat?' schreeuwde ik.

'Dat was het ergste. De rest is nirwana.'

Ik wist niet of ik het spannend vond of doodeng. Volgens mij kon dit meisje met blote handen de hele maniakkenmeute aan.

'Ik ga zo overstag,' riep Sam. 'Pas op je hoofd; de giek komt over. Meteen daarna laat je de stuurboordfokkenschoot los, je grijpt de bakboordschoot, duikt naar de andere kant en haalt hem aan.'

Carrie had gelijk. Dit was school.

Maar toen het allemaal voorbij was, had ik geen hersenschud-ding en de catamaran vocht niet meer tegen de wind en het water. Hij scheerde door het glazige groene water, met een flitsend gemak en een snelheid waardoor mijn hart wild bonsde. Sam noemde het een halfwinds rak.

Ik schoof naar achteren tot naast Sam. Mijn hart ging nog wat harder bonzen. Als ze buiten bereik was en bevelen gaf als een ma-rinier, ging het wel, maar zo dichtbij… Nu reageerde mijn lichaam op haar.

We zeilden de rest van de ochtend. Ik zat een paar keer aan het roer en ik probeerde zelfs de trapeze, terwijl Sam mijn hand vasthield om te helpen. Ik kon me niet herinneren dat ik ooit zo'n fijne dag had gehad.

Volmaakt gewoon.

Dat kon ik niet laten gebeuren.

'Ik ben dokter Martin. Ga maar ergens zitten. Ik heb je dossier gelezen. Ik heb met dokter Schofield uit Anchorage gesproken, en met...' Hij bladerde in mijn papieren. 'Met je dokter in Indiana.'

'Dokter Lyman.' Ik ging op de stoel recht tegenover hem zitten. Hij zat niet achter een bureau. Ik wist hoe ik dat moest interpreteren: Wade, jongen, hier zijn geen barrières, we maken gewoon met zijn tweeën een praatje.

'Het arme mens,' zei dokter Martin. 'Wat een rotnaam voor een therapeut. Hoe kan ze nou vertrouwen wekken met een naam die klinkt als "Lie Man"?'

Oké, misschien viel hij mee. Hij was klein en dik, en begon al flink kaal te worden. Maar zijn blonde haar was kortgeknipt; hij was niet zo'n type dat lange slierten over de kale plekken kamde.

'Zo, dus je bent hier omdat je jezelf hebt genaaid in Indiana?'

'Wát?' Ik had het gevoel dat hij me een vuistslag had gegeven.

'Klopt dat niet?' vroeg hij.

'Ja hoor, het klopt helemaal. Maar ik ben niet gewend aan deze aanpak.'

'Wil je liever dat ik sturende vragen stel en je over je bolletje aai?'

Ik dacht lang na. 'Nee, ik geloof het niet. Het heeft tot nu toe niet zo goed gewerkt.'

'Dat zie ik in je dossier,' zei hij.

Daar zat ik dan. Ik wist niet wat ik hiermee aan moest. Dit was wel een héél andere therapie.

'Wat wil je, Wade?'

'Gelukkig zijn,' mompelde ik.

'Klets niet.'

Ik staarde hem aan.

'Geluk had je. Keurig ingepakt met een strik erom. Zwemkampioen. Massa's vrienden. Een leuk vriendinnetje. Noem maar op. En jij gooit het allemaal het raam uit. Bij een kampvuur nota bene. Je bent zo bang voor geluk dat je het in je broek doet.'

'Wat?'

'Je hebt me wel gehoord. Wat is je probleem? Waarom die zelfvernietiging?' Hij gaf een klap op het dossier. 'Moet je zien, wat een berg papier. Je hebt te veel therapie gehad om niet te weten wat je jezelf hebt aangedaan. Je weet zelfs hoe je het moet vermijden. Wat deed je die nacht dan, verdomme?'

Wou deze joker me op de proef stellen? Nou, dat kon ik ook. 'Ik voedde een hongerige geest.'

'O, dat zengedoe,' zei hij alsof het rechtstreeks uit een cursus therapie voor dummy's kwam. 'Nou, als je mystiek wilt gaan doen, moet je niet vergeten dat je een geest waarheid moet voeden. Met een lange lepel – weet je wat dat betekent?'

Shit.

'Nee, dat dacht ik al.' Hij gooide mijn dossier op een tafeltje naast zijn stoel. 'Ik zal het je uitleggen. De waarheid staat in een kom voor de neus van de geest. Hij kan er zo van eten. En hij heeft schreeuwende honger. Maar hij moet eten met een heel lange lepel. Zijn armen zijn te kort om een schep van de waarheid te nemen en naar zijn mond te brengen. Daarom zoekt hij een andere geest met hetzelfde probleem. Ze gaan tegenover elkaar zitten en...'

'Voeren elkaar,' fluisterde ik.

'Vijf sterren. Omdat ik de indruk heb dat je een beetje traag bent...' Hij gaf weer een klap op het dikke dossier. 'Wat betekent dit keurige metafoortje volgens jou?'

Ik haalde mijn schouders op.

'Ik heb zo'n hekel aan dat stomme schouderophalen van pubers. Denk na.'

Ik wist niet of ik hem een klap op zijn hoofd wilde geven omdat hij me zo ergerde, of dat ik mezelf tegen mijn hoofd zou slaan, toen het opeens tot me doordrong.

'Iedereen heeft hulp nodig.'

Martin knipte met zijn vingers. 'Ik stel officieel vast dat er nog hoop voor je is. En ik heb een opdracht voor je. Stop met vooruit kijken, en kijk een paar dagen achteruit. Je denkt dat je van niemand respect verdient. Vraag je eens af welke mensen achter je hebben gestaan – wisten wat je had gedaan, en je toch als een mens behandelden. Maak een lijstje. Kun je zo verschrikkelijk zijn als die mensen je steunen?'

En dat was het. Hij zei geen boe of bah meer. Hij wees alleen naar de deur en wuifde me met twee handen naar buiten. Mij best. Dus ik deed het in mijn broek? Wat was dat nou voor manier om tegen patiënten te praten. K'nex zou hem gefileerd hebben en zijn ingewanden in een la hebben gestopt. Als de Cowboy nog leefde, zou hij hem overhoop geschoten hebben, en Jackpot... God mag weten wat die met hem gedaan zou hebben. Maar ik deed niets. Ik gooide geen benzine over hem heen en stak geen lucifer aan. Mijn hoofd bonsde niet eens.

Carrie had me haar auto geleend, dus reed ik terug naar het huis aan het strand en zette de computer aan. Ik googelde een hele tijd en vond een paar dingen over de maniakkenmeute. Daarna belde ik dokter Schofield.

Jackpot was vrijgelaten, en kort daarna doodgeschoten door de politie toen hij de tweede man in één nacht overhoop stak in een homobar. K'nex was overgeplaatst naar een gevangenis voor volwassenen, nadat hij een ziekenbroeder had aangevallen met een scherp geslepen lepel en een oor van de man had afgesneden. De opschepper die de kat van zijn zus had verbrand, had weekendverlof gekregen en het huis van zijn ouders in brand gestoken. Zijn hele familie kwam om. Nu hoefde hij niemand meer te vragen hoe het voelde om iemand in brand te steken.

We praatten nog een tijdje en Schofield vond het prachtig toen ik hem over mijn nieuwe psychiater vertelde, en hoe die zich gedroeg. 'Wade, als je dat lijstje maakt van mensen die je steunen, achter je staan, of hoe je het ook wilt noemen – zet mijn naam er dan ook bij, hè? En niet omdat ze me betaalden om je te behandelen. Denk eens aan die jongens waarover we het daarnet hadden. Ik zou niet graag bij ze in de buurt staan zonder bewaker.'

Ik liep naar buiten en ging op een strandstoel zitten om naar de golven te kijken. Sam kwam met de auto terug van college, wuifde en liep naar me toe. Ze plofte neer op de stoel naast me en zakte onderuit. Ze legde haar voeten op de balustrade, strekte haar armen en hield haar handen achter haar nek. Ik had nog nooit iemand gezien die zo ontspannen was. En het was de eerste keer dat ik Sam zo zag.

'Diep in gedachten?'

Ik knikte.

'Wil je erover praten?'

Ja, dat wilde ik wel. Maar hoe kon ik haar een deel van het verhaal vertellen, en het belangrijkste weglaten?

'Het is ingewikkeld,' zei ik.

'Wat niet?'

'Ik ken je niet goed genoeg voor een persoonlijk gesprek,' zei ik.

'Dat is waar, maar je ziet eruit alsof je wilt praten en soms is een vreemde objectiever. Waarom denk je dat psychiaters werk hebben?'

Daar zat wat in. Zou Sam naar een psychiater zijn geweest?

Ik dacht een tijdje na. Hoe kon ik praten over wat me dwarszat, zonder het haar te vertellen? Ik was goed in smoezen, dus waarom niet? 'Ik keek op internet even de plaatselijke krant in uit de stad waar ik vroeger woonde,' zei ik. 'Een jongen met wie ik bevriend was – niet echt goede vrienden, maar toch – is in ernstige problemen geraakt. Echte rottigheid. Dat had ik nooit van hem verwacht.'

Sam verplaatste haar armen en sloeg ze over elkaar. Ze leek niet helemaal op haar gemak, maar het ging net als altijd bij mij – bier drinken, zwemtraining – als ik eenmaal begin... 'Het zette me aan het denken. Als ik niet merkte dat het dat die kant opging met hem – wat zegt dat dan over mij?'

Ik keek Sam niet aan. Ik praatte tegen het water, maar ik merkte dat ze haar voeten van de balustrade nam. 'Ik wil niet melodramatisch doen, maar denk jij weleens over jezelf na? Of je slecht bent, bedoel ik?'

Zo. Het was eruit. Ik keek Sam aan.

Haar ontspannen stemming was opeens verdwenen. Ze was net zo veranderd als de avond dat ze was gevlucht voor het eten.

'Misschien kun je dat beter aan iemand anders vragen.' Ze wreef met haar handen over de knieën van haar spijkerbroek. 'Waarom denk je daarover na? *Ben* je slecht?'

'Dat is niet eerlijk. Ik vroeg het eerst,' zei ik.

'Hou erover op, Wade.' Het was geen waarschuwing – ze smeekte. Maar ik wist niet goed waarom.

'Als je je zorgen maakt dat je slecht bent, ben je dat waarschijnlijk niet, heeft mijn vader een keer gezegd. Volgens hem kan het slechte mensen niets schelen,' zei ik.

Ik zag dat Sam een beetje ontspande. Er gleed een glimlachje over haar gezicht. 'Dat klinkt goed.' Ze leunde weer naar achteren, maar sloeg haar armen om haar lichaam. 'Ik wil het graag geloven. Je vader is verstandig. Zou hij blijven omgaan met iemand die slecht is?' Ze keek me vragend aan.

Mijn vader. Zou het niet makkelijk voor hem zijn geweest om me te dumpen? Gewoon ervandoor te gaan toen ik in Anchorage zat? Me aan tante Jemma over te laten? Maar tante Jemma had het contact verbroken. Toch had hij me makkelijk in de inrichting kunnen laten. Maar hij had volgehouden. Hij was drie keer voor mij verhuisd, hij had zijn naam veranderd en was alles kwijtgeraakt wat hij bezat. Zou hij dat gedaan hebben als ik knettergek geworden was zoals Jackpot en K'nex? Waarom was dat met mij niet gebeurd? Ik had een kind gedood, en die jongens niet. Waarom was ik niet gevaarlijk geworden? Voelden zij zich schuldig? Had mijn schuldgevoel me gered?

Maar volgens de theorie over de hongerige geesten moest ik dat schuldgevoel juist kwijtraken. Het was slecht voor me, en ook voor de mensen om me heen. Ik begreep het niet.

Dat ik geen antwoord gaf maakte Sam zenuwachtig, leek het.

'Kom, dan gaan we het water op,' zei ze.

'Misschien waait de rottigheid dan uit mijn hoofd,' zei ik.

Dat gebeurde.

In elk geval voor even.

We zeilden de rest van de middag zonder iets te zeggen. Alleen gaf Sam mij af en toe een kort bevel. Ze was al haar rust kwijt, alsof iets in ons gesprek haar hard en gespannen had gemaakt. Ze gaf me les over de theorie van het zeilen, het belang van de gleuf tussen de fok en het grootzeil, en het verschil tussen overstag gaan en gijpen.

'Laat maar eens zien,' zei Sam. Ik nam het roer en de grootschoot van haar over, en lette op dat de boeg niet in het water dook.

'Je begint goed,' zei Sam, en ze ging ontspannen zitten. We waren vrij ver van de kust, dus koos ik voor een rak terug naar de pieren. Daarna voer ik een halfuur heen en weer langs het strand.

'Zullen we teruggaan?'

Sam hield haar gezicht omhoog naar de zon. Ik weet niet of ze naar de zeilen keek of gewoon van de warmte en de lucht genoot.

'Jij bent de schipper.'

'Laten we gijpen.'

Gijpen is een snelle manoeuvre waarbij de bemanning goed moet samenwerken. De boot zwenkt bijna van de top van de golf af en racet dan omlaag. Het is meer dan een licht gevoel in je hoofd. Je voelt het in je hele lichaam.

We surften over de golven, toen nam Sam het roer. 'Je bent nog niet helemaal toe aan de landing. Kijk wat ik doe.'

Terwijl we van de laatste grote golf doken, keek Sam naar het water – niet naar het zeil of de wind. Toen ze vond dat de golven de juiste grootte hadden, vierde ze opeens de schoot en klapte de roerstang naar voren en omhoog. De Hobie gleed over het zand, schoof nog een stukje het strand op en bleef liggen.

'Zo gaat dat,' zei ik.

'Als je goed oplet,' zei Sam.

Terwijl we de boot schoonspoelden en opborgen in de loods, zei ze niet veel meer.

Tot nu toe had ik, als we dicht bij elkaar waren, het gevoel gehad dat we net vuurstenen waren. Als we elkaar aanraakten vlogen de vonken eraf. Maar nu niet. We waren gewoon stenen die tegen elkaar botsten.

De volgende dagen krabde ik oude verf af en lette zo min mogelijk op Sam. Ze was een extra probleem waaraan ik geen behoefte had. Als ik te dichtbij kwam deinsde ze terug. Ze liet niet merken wat ik fout had gedaan, waarmee ik het had verprutst bij haar. Ze scheen me niet te willen of nodig te hebben. Ze was vaak weg. Naar college, nam ik aan.

'Hoi.'

Op een dag stond ze er opeens. Als een silhouet, met de zon achter haar. Ik moest mijn hand boven mijn ogen houden, en er droop zweet in dat prikte.

'Ook hoi.' Wat een schitterend antwoord.

'Wat ben je aan het doen?'

Ik klom van de ladder af, terwijl Sam de trap op liep. We ontmoetten elkaar op de veranda. 'Ik was net bezig met een levertransplantatie bij mezelf. Waar lijkt het op?'

'Alsof je jullie huis aan het martelen bent.'

'Ik ben aan het schilderen.'

Sam knikte. 'Goed gedáááán.'

'Ha ha. Ik ben aan het krabben zodat ik daarna kan schilderen.'

'Het leek er meer op dat je het huis probeerde dood te steken. Het zal wel komen doordat ik het van beneden zag.'

Ze rook zo... schoon. Ik wilde... haar geur indrinken. Leven in de kleur van haar haren. Als ik zo bleef denken, zou ik de verfkrabber door mijn slaap moeten rammen. 'Ik heb geen tijd om te zeilen, als je dat...'

'Nee, daar heb je geen tijd voor. Carrie belde ons vanaf haar werk, omdat jij de telefoon niet opnam.'

Ik keek naar de ladder en weer naar het huis.

'Ja, ze dacht wel dat je hier buiten was en "haar huisje te lijf ging", zoals ze het noemde. Ze zei dat je een douche moest nemen en haar dan moest komen ophalen. Heb je haar naar haar werk gebracht?'

'Nee hoor. Volgens Carrie rijd ik als een oude oma.'

'Ik durf te wedden dat je niet zo rijdt als Carries oma.'

Soms glipt er ondanks je vaste voornemen om de rest van je leven somber en chagrijnig te blijven zomaar opeens een lach of glimlach naar buiten. Een guerrilla-lach. Dat gebeurde toen.

'Nee, Carries oma zie ik eerder met honderdvijftig tot aan de achterbumper van een tiener rijden en toeteren dat hij een beetje moet opschieten of anders uit de weg moet gaan.'

'Ik rij mee, oké? Het leren zit me tot hier. Ik heb zin in een flutboek, om mijn hersens vakantie te geven, weet je wel?'

Ja, dat kende ik.

In de auto kletsten we ontspannen. Sam zei dat ik net als zij een paar vakken kon volgen op de hogeschool, die dan ook zouden meetellen voor mijn eindexamen. Ik vroeg me af of er iets mis was met haar, omdat ze elke keer dat we een beetje contact kregen snel afstand nam. Net als ik had gedaan bij A.L. Opeens drong het tot me door: misschien leek het of Sam telkens zoveel afstand nam, doordat ik de andere kant op vluchtte.

De echte problemen begonnen toen we in de boekwinkel kwamen.

'We zijn vroeg. Carrie heeft pas over twintig minuten vrij. Wil je koffie? Ze hebben hier lekkere mochaccino.'

'Graag,' zei Sam. Toen bleef ze opeens stokstijf staan. Ik liep bijna tegen haar op.

Ik keek langs Sam voor ons uit, om te zien wat er aan de hand was, en zag Jessica in de koffiebar. Met een stalen kan met geklopte melk in haar hand stond ze een paar tellen onbeweeglijk als een standbeeld. Ze leek geschokt. Toen keek ze mij met woedende ogen aan.

'Jessica,' zei ik. 'Dit is Sam. Een gewone koffie voor mij en een...'

'Ik hoef niets, dank je,' zei Sam. Ze ging op een kruk zitten. Maar het leek of ze erboven zweefde als een kolibrie, klaar om bij het minste of geringste beweginkje of geluid weg te schieten.

'O, Sam ken ik wel,' zei Jessica. '*Iedereen* kent Sam.'

Ze zei het vriendelijk genoeg. Maar het had zo'n meisjesondertoon die jongens wel horen maar niet goed begrijpen. Ze schonk mijn koffie in en schoof hem naar me toe.

'Ik ga bij de tweedehands boeken kijken of ik een detective of een goedkoop romannetje kan vinden,' zei Sam.

Sam gleed van de kruk en had al een paar stappen gedaan toen Jessica siste: 'Als je iets goedkoops wilt hoef je alleen in de spiegel te kijken.'

Sam trok haar schouders iets naar achteren en tilde haar kin een stukje op, maar ze liep gewoon door naar de tweedehands boeken.

'Wat had *dat* te betekenen?' Mijn koffie klotste over de rand toen ik mijn kop hard op de toonbank zette.

Jessica veegde met korte, nijdige gebaren de gemorste koffie op.

'Ik weet dat je naast haar woont, maar je hoeft niet met haar om te gaan. En je moet niet hierheen komen en verwachten dat ik haar bedien. Dan wrijf je het onder mijn neus.'

'Waar heb je het over?'

'Haar. Sam. Je moet hier niet komen met haar. De mensen weten dat jij en ik een paar keer uit zijn geweest. Het is beledigend voor mij.'

'Nogmaals: waar *heb* je het over?'

'*Sam*. Ze noemen haar "Wam, bam, dank je, Sam". Weet je waarom ze niet meer naar school komt?'

Ik wilde nee schudden, maar Jessica ging verder voordat ik de kans kreeg.

'Omdat ze zich schaamt. Niemand zou met haar willen praten. Ze is een zuiplap en een hoer.'

Ik was verbijsterd. Ik denk dat Jessica dat zag.

'Je kunt het aan iedereen vragen. Aan mijn moeder. Sam had seks met iedereen die haar drank gaf. Ik wed dat ze niet eens meer weet hoe vaak ze laveloos is geweest en wakker werd zonder ondergoed. Uiteindelijk ging ze naar een ontwenningskliniek. Het schijnt dat ze daar al haar eindexamenvakken heeft gehaald, of zo. Het zal wel. Opgeruimd staat netjes zei mijn moeder.'

'Hoe bedoel je?'

Jessica leunde naar voren en keek me met een boze kop aan, zoals Dave zou hebben gezegd.

'Wade, je kunt niet met haar bevriend zijn en ook met mij uitgaan. Ze is een *slet*.'

Ik begreep er niets van. Jessica's versie van Sam leek helemaal niet op de Sam die ik kende.

'Dat vind ik heel jammer, Jessica.' Ik betaalde voor de koffie en stond op. Jessica keek verbijsterd. Daarna kreeg ze een uitdrukking op haar gezicht die me deed denken aan Dave toen hij me uitlegde waarom hij niet meer mijn vriend kon zijn. Ik liep naar de trap.

Sam was Carrie aan het helpen met het sorteren van een doos oude pockets.

'Hé, jochie, we zijn bijna klaar,' zei Carrie. 'Over vijf minuten kunnen we weg. Flirt jij nog maar even met de serveerster. Sam en ik doen dit wel.'

Ik plofte neer in een versleten leunstoel. 'Ik kijk graag naar werkende vrouwen,' zei ik.

'Als je er maar niet aan gewend raakt,' waarschuwde Carrie.

Ik keek en luisterde terwijl Sam werkte en met Carrie kletste. Niets. Ik wist dat ze Jessica had gehoord, maar behalve die iets rechtere rug was er niets aan haar te merken.

Ik reed op de terugweg en Sam zat achterin, maar dat hoefde niets te betekenen. Aan het eind van de oprit stapten we allemaal uit. Carrie liep naar het huis en Sam leunde tegen de auto.

'Zo, nu weet je het,' zei ze.

'Ik weet niet wat ik weet,' zei ik. Ik leunde naast haar tegen de auto.

'Heeft Jessica je niet verteld dat ik een dronkenlap was en alle soorten seks had met iedereen die me een fles gaf?'

'Zoiets ja,' zei ik.

We zwegen. Ik staarde naar mijn voeten en schoof met de gemalen schelpen van de oprit. Sam keek naar de golven.

'Is het waar?'

'Maakt het uit?' vroeg Sam.

Ik dacht erover na. Maakte het iets uit?

Wie was ik om iemand anders te veroordelen?

Ik draaide me naar haar toe en haalde mijn schouders op. 'Nee. Het maakt niet uit. Ik vraag het omdat het niet bij je past. Alsof het kleren zijn die jij nooit zou dragen.'

Ze keek naar me op, en ik zag de verbazing op haar gezicht. Misschien was mijn reactie nieuw voor haar. Het leek of een deel van de spanning van haar afgleed.

'Het is waar. Of dat was het vroeger. Gedeeltelijk. De seks wordt overdreven.' Ze wreef in haar nek. 'Wat maakt het uit of het twee mannen waren of twintig – de *reden* waarom je je lichaam geeft, maakt het oké of iets om je voor te schamen, en dat kun je alleen zelf beslissen.'

Ze keek weer naar de golven.

'Ze zei dat je in een ontwenningskliniek hebt gezeten.'

'Ja. Twee keer. De eerste keer ging het fout. Toen ik eruit kwam dacht ik dat het was gelukt. Ik liep naar een strandfeest om het aan mezelf en de mensen te bewijzen. Maar ik werd ladderzat. Mijn vader bracht me terug naar de kliniek terwijl ik nog een kater had.'

'Dwangmatig recidivisme.'

Sam keek me even snel aan.

'Het klinkt alsof je bang was om de kliniek te verlaten en ervoor zorgde dat je meteen weer terug kon,' zei ik.

'Dat is therapietaal. Groepsdenken. Je spreekt uit ervaring, hè?'

Shit.

'Ik heb problemen gehad toen mijn moeder stierf.'

Ze keek me onderzoekend aan en ik wendde mijn hoofd af. 'Oké, volgens mij lieg je, maar niemand hoeft over zijn therapie te praten als hij dat niet wil.'

Ze wachtte, maar ik gaf geen antwoord.

Sam ging rechtop staan. 'Je bent beschadigd, Wade Madison.'

Ze zei het niet beschuldigend, maar stelde het gewoon vast. Toch hoorde ik er nog iets anders in. Iets wat ik nooit eerder was tegengekomen.

Ik kreeg niet de kans om erover na te denken of een gevat antwoord te geven, want ze ging meteen door.

'Ik heb trouwens ook gelogen. Dus we staan quitte.'

'O, dat is een hele opluchting.' Ik kon het niet laten om lollig te doen. Sam keek me aan. Volgens mij wilde ze dat ik het vroeg. 'Waarover heb je gelogen?'

'Ik heb geen vriend. Dat zeg ik tegen mensen om... ik weet niet, om mezelf af te sluiten of zo. Nou, ik geloof dat je nu wel genoeg info hebt om te verwerken. Wordt vervolgd.' Ze streek haar haren naar achteren en keek me strak aan. 'Of niet.'

Ze draaide zich om, maar ik stak mijn hand uit en raakte haar schouder aan. Ze bleef staan. Ik hield mijn vingers op haar schouder terwijl ik om haar heen liep zodat ik weer voor haar stond. Ik trok haar tegen me aan en omhelsde haar lang, met mijn gezicht diep in haar haren. Haar lichaam leunde tegen dat van mij, en ze legde een hand op mijn wang. Gedeelde warmte, zonder woorden.

Lichaamstaal.

Het beste.

Terwijl ik haar in mijn armen hield, herinnerde ik me dat ze tijdens het zeilen had gezegd dat ik gevoel zou krijgen voor de wind, het water en de boot. Dan zou ik niet meer naar de zeilen hoeven te kijken; ik zou gewoon weten wanneer ik de schoten moest aantrekken of vieren. Zo ver was ik nog niet met de boot, maar ik wist dat het tijd was om een eind te maken aan de omhelzing.

Ik bewoog me zacht achteruit. Ze keek me aan en stapte naar achteren zonder het oogcontact te verbreken, met opgeheven hoofd en rechte rug, haar lichaam ontspannen.

We zeiden niets.

Ze glimlachte niet.

Ze keek naar me met iets wat veel op verbazing leek. Toen knipperde ze traag met haar ogen, als een kat die zijn vertrouwen laat blijken. Eindelijk had ik iets goed gedaan.

Ze deed nog een grote stap naar achteren terwijl ze me bleef aankijken. Toen draaide ze zich om en liep weg. Ik wachtte tot ze de hoge trap naar hun veranda was opgelopen en de deur achter zich dichttrok. Ze keek niet één keer om.

De volgende drie dagen regende het. Zware stormbuien die Carrie Texaanse dondervlagen noemde. De donder klonk alsof de wereld in stukken brak, en de bliksem spleet de hemel als een flitsende tong. De regen die op het dak kletterde streed met het gebulder van de golven. Ik was een cocon van rust in al die razernij. Ik leerde. Ik kookte en ik ruimde op voor Carrie en mijn vader.

Ik wist dat ik niet naar Sam moest gaan.

Bij het ontbijt vroeg Carrie me ronduit: 'Wade, wat is er met jou en Jessica?'

'Niets. Ze wil niet meer met me uit. Dat is alles.'

'Als ik jouw naam noem in de winkel, bevriest de koffie. En haar moeder doet ook ijzig.'

'Het spijt me. Ik heb niets gedaan. Ze vindt me gewoon niet aardig.'

'Wade.'

Ik keek op.

'Je hebt toch niet... iets verteld over...'

'Nee. Het is gebeurd toen Sam met meekwam naar de winkel. Jessica heeft een hekel aan haar. Meisjesgedoe. Ze wilde dat ik koos tussen Sam en haar. Dat heb ik gedaan. Maak je geen zorgen, Carrie. Ik vertel het echt niet.'

Maar het zou niet lang meer duren voor ik het *moest* vertellen.

De derde dag kwam Sam naar me toe in een regenjas zo geel als een schoolbus.

De wind duwde haar min of meer het huis binnen. Ze trok snel de regenjas uit en hing hem bij de deur. We hadden al handdoeken onder de kapstok gelegd.

Ze streek haar natte haren uit haar gezicht. Zuchtte. En maakte dat rechttrekgebaar met haar schouders. 'Ik wil dat je alles weet. Het hele verhaal.'

'Als jij geen dwangmatige behoefte hebt om te biechten, hoef ik het niet te weten. En *jij* moet weten dat ik niet het recht heb om iemand anders te veroordelen. Dus het geeft echt niet.'

'Misschien toch wel. Je weet nooit hoe je zult reageren voordat je het allemaal hebt gehoord. En ik wil geen geheimen meer hebben als we... als het wat wordt.'

We. Ze zei 'we'. Mijn hart bonsde, en mijn hoofd ook. Hoe kon er ooit een 'we' zijn? Als Sam alles vertelde over haar leven, hoe kon ik dan dat van mij geheimhouden? Dat zou nog erger zijn dan vriendschap stelen. Maar ik had Carrie en mijn vader beloofd dat ik niemand over mijn verleden zou vertellen. Hoe kon ik dit oplossen?

Ik wees naar de woonkamer. 'Wil je wat drinken?'

'Heb je koffie?'

'Van vanochtend. Ik kan niet beloven dat hij nog lekker is.'

Sam knikte. Ze kroop op de bank, met haar voeten onder haar lichaam.

Ik schonk de laatste koffie in een beker en liep ermee naar haar toe. 'Ik kan echt leven met wat je me hebt verteld. Je hoeft jezelf niet...'

'Het is belangrijk voor me,' zei Sam terwijl ze de beker aanpakte. Ik ging op de stoel aan de andere kant van de lage tafel zitten. Als dit moest gebeuren, kon wat fysieke afstand misschien geen kwaad. En ik wilde haar gezicht zien. Misschien zij dat van mij ook.

'Het was in de voorjaarsvakantie toen ik in de eerste klas zat,' begon ze. Ze nam een slokje uit de beker. 'Ik was bijna veertien. Mijn beste vriendin Roxanne logeerde het weekend bij me en op vrijdagavond zeiden we tegen mijn ouders dat we met haar zusje naar de film gingen. Dat was de eerste keer dat ik echt loog tegen mijn ouders. Ze vertrouwden me en gingen eten bij vrienden uit de kerk.'

'Veertien is vrij oud voor een eerste echte leugen,' zei ik. Ik hoopte nog steeds dat ik dit kon voorkomen. Sam staarde me over de rand van haar beker aan. Ik leunde achterover in mijn stoel. 'Ik heb veel ergere dingen gedaan toen ik jonger was.'

Sam liet de beker zakken. 'Roxanne sleepte me min of meer mee, het strand op. Er waren drie strandhuizen op een rij, vol met oudere jongens en meisjes. Tientallen mensen die ik niet kende, liepen met bier in hun hand rond vuren die brandden in kuilen in het zand. Er klonk harde muziek en de mensen maakten veel lawaai.

Bij het eerste huis draaide een oudere jongen zich om en zag mij. "Wow, ik ben vast dronken," zei hij. "Zo'n mooi meisje heb ik op school nog nooit gezien." Ik was niet gewend aan complimentjes, dus ik bloosde en keek naar de grond.

Hij riep tegen zijn vrienden: "Kent een van jullie dit stuk? Hebben jullie ooit zoiets prachtigs gezien? Wie ben je, schat?" vroeg hij aan mij.

Ik vertelde hoe ik heette, en hij geloofde het eerst niet. "Sam Kirksey? Is je vader de dominee van die voodoo baptistenkerk verderop aan de weg?"

Ik lachte een beetje en zei dat het een evangelische baptistengemeente was. Maar het kon hem niets schelen. Hij vond het prachtig.

"Sam, Sam, Sam. Een domineesdochter. Dit is mijn geluksdag."

Hij ging er een hele tijd over door. Toen sloeg hij een arm om mijn nek. De hand met de plastic beker was vlak bij mijn oor. Ik geloof niet dat ik ooit zo dicht bij bier was geweest. Echt waar. Het rook heerlijk. Zo'n geur waarbij je zin krijgt om je ogen dicht te doen en je adem in te houden om hem nooit meer kwijt te raken, zoals bij versgebakken brood.'

Sam zweeg. Het leek wel of ze zich moest beheersen bij de gedachte aan bier. Alsof ze de herinnering aan de geur wilde wegspoelen, nam ze nog een slokje koffie. Zonder erbij na te denken nam ik zelf ook een slok. Misschien om haar te laten voelen dat ik meeleefde.

'Maar goed, hij vroeg of ik meeging, een eindje wandelen langs het strand. Ik aarzelde, maar hij stelde me gerust. Hij zei dat hij me niets zou doen.'

Sam grijnsde bijna. '"Ik ben Hannibal the Cannibal niet," zei hij.' Ze schudde haar hoofd en trok een gezicht – zoiets van jee-wat-was-ik-onnozel.

'Hij zei zelfs dat Roxanne mee mocht komen, als ik dat wilde. Hij wilde alleen maar praten. Roxanne wuifde me weg en ik liep met hem mee. Ik wist niet eens hoe hij heette.

We slenterden naar het water en toen bleef hij staan, draaide zich om en hield zijn voorhoofd tegen dat van mij. De maan scheen niet, maar dat maakte geen verschil. Ik vond het zo al ontzettend romantisch. Hij zei: "Mooie, mooie Sam. Ik wil een cadeautje van je hebben voor mijn eindexamen."'

Mijn maag verkrampte.

'Ik schrok omdat ik niet wist wat hij bedoelde,' zei Sam. 'Dat merkte hij blijkbaar, want hij trok zijn hoofd terug, legde een vinger op mijn lippen en zei: "Sst. Je bent vast al eerder gezoend, maar ik wil dat je doet alsof dit de eerste keer is. Ik wil geloven dat je nog nooit een zoen hebt gehad."

Nou ja, ik was nog nooit gezoend. Ik was dertien en de dochter van een dominee. Maar dat ging ik hem niet vertellen. Hij fluisterde heel lief in mijn oor: "Mag ik je een zoentje geven, mooie Sam de domineesdochter? Zou dat niet het allermooiste cadeau zijn voor mijn eindexamen?"'

Nu was het mijn beurt om me te beheersen. Sam zoenen. Dat wilde ik ook. Om de een of andere reden bloosde ik toen ze erover praatte. Maar ze ging helemaal op in haar verhaal en merkte het gelukkig niet.

'Ik knikte en wachtte. Hij legde een vinger onder mijn kin, tilde mijn gezicht op en boog zich voorover. Hij zoende me. Zacht. Hij trok zijn hoofd terug en glimlachte. Toen liet hij zijn hand langs mijn gezicht glijden, leunde weer naar voren en zoende me lang en stevig...' Sam zweeg, omdat het tot haar doordrong dat ze dit soort details beter niet aan een andere jongen kon vertellen. 'Maar wat me het meest verbaasde, was dat ik de zoen vooral fijn vond omdat hij naar bier smaakte. Niet zoet of bitter, maar gistend. Ik vond die zoen-met-biersmaak heerlijk. Toen hij ophield, pakte ik zijn plastic beker met bier. "Bederf de domineesdochter nog een beetje," zei ik. "Geef me mijn eerste alcohol." Ik proefde van het bier. Het was zo koud en schuimend en... *fris*. Ik glimlachte en dronk. "Zullen we voor jou een andere beker gaan halen?" zei ik. "Deze is nu van mij."

Ik dronk die avond een heleboel bier, te veel bier. Roxanne ook. Goddank was de jongen van mijn eerste zoen de beroerdste niet. Hij hield mijn haren naar achteren toen ik overgaf, en hij hield Roxannes hoofd en dat van mij onder de koude buitenkraan tot we iets minder dronken waren. Toen liep hij met ons mee terug naar mijn huis en hielp ons de trap op naar de veranda.

Ik verwachtte niet dat ik ooit nog iets van hem zou horen. Ik zou ook niet geweten hebben wat ik moest zeggen als ik hem had ontmoet. Maar op de een of andere manier waren mijn eerste zoen en mijn eerste alcohol met elkaar verbonden, en het was makkelijker om bier te vinden dan een jongen uit de hogere klassen op te sporen.

Zo begon het. Ik was voor het eerst totaal verslingerd – aan bier. Daarna ging het van kwaad tot erger. Het duurde niet lang voor ik dol was op wijn, en sterke drank. Maar op dat moment was ik bezeten van bier. Het was het enige waaraan ik kon denken.'

Ze hield op met praten en dronk haar koffie.

Sams grote geheim was dat ze al op haar veertiende een dronkenlap was. Door mijn eigen reactie op haar eerste zoen wist ik dat ik niets wilde horen over de seks, overdreven of niet. Maar alcohol en seks – als ze dat zo... *erg* vond, zou ze mijn geheim vast niet aankunnen.

'Is je koffie niet koud?' vroeg ik.

'Bijna, maar het geeft niet,' zei ze. 'Ik ben dol op koffie. Alle soorten. Als ik naar bed ga, hoop ik dat ik gauw slaap om weer wakker te kunnen worden en koffie te drinken.'

Ik lachte. 'Junk.'

'Ja.'

Het was te zien en te horen dat ze het niet leuk vond.

'Sorry, dat was een domme grap. Ik ben een hufter. Ik heb trouwens ook gedronken.'

'Je hebt gedronken?'

'Ja, vorig jaar. Maar ik kreeg er problemen door, en dus...'

'Ben je gestopt. Je bent gewoon gestopt met drinken?' vroeg Sam.

'Ja, ik...'

'Sorry hoor, maar dan snap je geen barst van verslaving. Je kunt niet zomaar stoppen, als je daar aanleg voor hebt. Als iets me bevalt ga ik er vol tegenaan. Toen ik klein was, moest ik van mezelf braaf zijn, superbraaf. Daarna wilde ik drank. En daarna joeg ik op eindexamenvakken alsof het flessen whisky waren.'

Terwijl Sam praatte, nam haar ergernis wat af. Ik besloot mijn mond te houden en te luisteren.

'Volgens mij werkt zo'n organisatie als de Anonieme Alcoholisten omdat drinkers hun verslaving aan alcohol ruilen voor een verslaving aan bijeenkomsten. Een schadelijke verslaving wordt vervangen door een onschadelijke, begrijp je?' Ze zuchtte. 'Mijn moeder kan geen chocolade in huis hebben, want als ik eraan begin eet ik alles op. Van koffie kan ik ook niet afblijven. En het geldt zelfs voor zeilen.'

Ik wachtte even en vroeg toen: 'Zal ik koffie zetten?'

Ai.

'Is dat een grap?'

'Nee,' zei ik. 'Ja.' Ik hield mijn handen hulpeloos omhoog. 'Verdomme, ik weet niet wat ik tegen je moet zeggen. Zodra ik mijn mond opendoe, komen er vreselijke dingen uit.'

Sam zette haar beker op tafel en stond op. 'Ik dacht dat ik dit aankon, Wade. Dat ik het verwerkt had. Maar het lukt me niet om hier te zitten en je aan te kijken en je het ergste te vertellen. De echte rottigheid.'

'Nee,' zei ik. 'Alsjeblieft, ga niet weg. Het was niet spottend bedoeld. Ik ben een zak. Het spijt me. Ik wou het alleen makkelijk maken.' Ik pakte haar arm vast.

Opeens werd ze een Sam die ik nog nooit had gezien. Er glinsterden tranen in haar ogen, maar ze draaide zich met een ruk om, trok haar arm los en hief hem toen op alsof ze me wilde slaan. 'Niet doen!' Ze klonk als een grommend roofdier. 'Je mag me *nooit* vastpakken!'

Ze schoot ervandoor, greep haar gele regenjas en rende de deur uit en de trap af.

Ze nam niet eens de tijd om de regenjas aan te trekken. Ik zag dat haar kleren kletsnat werden voordat ze bij haar voordeur was.

Hoe had ik zo stom kunnen zijn? Verdomme! Ik greep haar koffiekop en smeet hem naar de deur. Hij brak in scherpe scherven. Waaraan ik me kon snijden als ik ze opraapte.

Toen ik mezelf weer onder controle had, telde ik een paar schepjes koffie af in een nieuw filter, deed er water bij, en terwijl ik keek hoe de donkere vloeistof de pot vulde, overdacht ik alles.

Dus Sam dronk. Anders dan ik had gedaan? In therapietaal: het klonk alsof dat drinken van haar een echte verslaving was en dat van mij alleen door de omstandigheden kwam. Sinds de nacht van mijn zelfvernietiging in Indiana had ik geen alcohol meer aangeraakt. Ik had er niet eens aan gedacht. Maar zo te horen liep Sam de hele tijd te snuiven of ze ergens drank rook. Die ontspannen uitstraling was een soort masker dat ze droeg. Net zoiets als een valse naam.

Deze keer wist ik dat ik naar haar toe moest gaan.

Sams vader kwam naar de deur.

'Kom binnen, jongen, en droog je af.' Hij wierp me een handdoek toe. Ik trok mijn poncho uit, hing hem op en droogde mijn gezicht. 'Ik weet dat je met Sam komt praten, maar ik wil je eerst even spreken.'

Ik had Sams ouders al ontmoet toen we hier net waren. Sam had haar gezicht van haar moeder, maar het lange, slanke DNA had ze van haar vader geërfd. Hij droeg een spijkerbroek en een geruit overhemd, en afgezien van zijn bril leek hij meer op een cowboy dan op een dominee. Hij kon me vast door de lucht slingeren als een baal hooi. Zijn gewone vriendelijke manier van doen was nergens te bekennen op dit moment.

Wat dacht hij? Dat Sam me om alcohol had gevraagd en dat ik...

'Dominee...'

'Wade, ik weet waarom Sam met je is gaan praten en wat ze je heeft verteld.' Hij nam de handdoek uit mijn handen, hing hem over mijn poncho en wenkte dat ik mee moest komen naar zijn werkkamer.

Hij ging achter een eenvoudig bureau zitten en wees mij een leunstoel aan die lekker zat, maar er tweedehands uitzag. Hun huis was klein, hun spullen waren oud, maar alles zag er netjes en gezellig uit.

'Sam heeft je verteld dat ze twee keer in een ontwenningskliniek is opgenomen voor alcoholverslaving,' zei de dominee.

'Ja, meneer.'

'En verder?'

'Ze raakte erg van streek en kon me niets meer vertellen.'

'Maar je hebt wel een idee?'

'Iemand had me roddels verteld. Sam zei dat het overdreven was, maar wel waar. Dus ja, ik heb een idee.'

Sams vader hield zijn handen tegen elkaar en liet zijn kin op de vingertoppen rusten. 'Toch kom je hier.' Hij zuchtte.

Hij scheen te wachten tot ik iets zei. 'Ik heb iets stoms gezegd.'

Hij keek me nog een tijdje aan. Toen wreef hij in zijn nek. Sams gebaar. 'Wade, wat Sam je te vertellen heeft, is niet best.'

'Ik weet het, meneer.'

Haar vader legde allebei zijn handen op het bureau. 'Nee, dat weet je niet. Sam is niet gaan drinken omdat ze gekwetst was en een vreselijk verdriet probeerde te vergeten. We hebben erover gepraat. Ze vond dat het lekker smaakte. Bier. En toen ontdekte ze hoe het voelde om dronken te zijn. Ze leefde in een gezin waarin alles om godsdienst draaide, en als ze dronken was voelde ze zich vrij en ongeremd. Dat vond ze heerlijk.'

'Dat heeft ze me verteld, meneer. Ik begrijp niet goed wat ze daar nu van vindt.'

'Nu ontkent ze dat ze met de schaamte worstelt,' zei Sams vader. 'Maar ze gaat wel vooruit. Dat ze het jou heeft verteld was een grote stap.'

Schaamte. Schuldgevoelens. Moesten we daarom van die schuldgevoelens af? Omdat je anders de beste delen van jezelf aan die hongerige geesten voedt?

'Ik weet niet waarom ze jou vertrouwt. Ik heb mijn twijfels over een jongeman die zich verbergt, niet naar school gaat en zo weinig over zichzelf vertelt.'

Hij stond op en kwam achter het bureau vandaan. 'Maar het is een bekend patroon. Ik heb het hier in huis ook gezien. Dus zal ik je niets vragen en je niet veroordelen. Maar ik waarschuw je dat mijn dochter een strijd levert, en een jongeman die haar strijd moeilijker maakt in plaats van haar te helpen, zal merken dat ik geen vriend van hem ben.'

'Ik begrijp het. Mag ik met Sam praten?'

'Ik zal het vragen. Als zij het wil, mag je hier met haar praten. Ik blijf in de kamer hiernaast.'

'Het spijt me dat ik een grap maakte over zoiets ernstigs,' zei ik. Sam was op haar vaders plaats achter het bureau gaan zitten. Hij liet de deur van de werkkamer open en ging op de bank in de woonkamer zitten. Ik schoof naar voren in de leunstoel, tot ik op het randje zat. 'En het spijt me ontzettend dat ik je pols vastpakte. Als je me nog meer wilt vertellen, wil ik graag luisteren.'

Ze knipperde weer traag als een kat met haar ogen en glimlachte bijna.

'Waardoor ben je gestopt? Er moest iets gebeuren, hè?' Ik dacht aan Dave en de geschokte gezichten van de B's, en mijn laatste flesje bier.

Sam knikte. 'Grant was hier voorgoed komen wonen toen ik een jaar of twaalf was. We hadden samen schelpen gezocht. Hij leerde me schaken. Op een ochtend, toen ik in de tweede klas zat, vulde ik een waterfles met wodka om mee naar school te nemen. Terwijl ik de dop er weer op draaide, drong het opeens tot me door: de zon is amper op en straks ben ik dronken voor de eerste les begint. Ik ben vijftien. En ik weet niet eens met hoeveel jongens ik seks heb gehad.

Ik keek uit het raam en zag Grant die de mast rechtop zette om vroeg te gaan zeilen. Ik rende naar buiten en vertelde hem dat ik problemen had. Ik was een zuiplap. Ik was *nu* dronken. Mijn ouders wisten het niet. Kon hij me helpen? Toen gaf ik over op zijn zeilschoenen en begon te huilen.'

'En Grant?'

'Eerst spoelde hij zijn schoenen af. Daarna haalde hij mijn ouders, en ze brachten me samen naar de ontwenningskliniek.'

'En toen?'

'De kliniek, terug naar huis, weer naar de kliniek, veel gestudeerd, een heleboel vakken gehaald, vroeg eindexamen gedaan.

Ten slotte weer terug naar hier. Grant leerde me zeilen, kort voordat hij ziek werd. Ik begon lessen te volgen op de hogeschool. Het
leven is mooi.'

Ik knikte. 'Ja, is het leven mooi?' vroeg ik.

Ze hield haar hoofd een hele tijd schuin. Ik zag dat ze er echt
over nadacht. 'Ja, het is mooi,' zei ze, en ze wees naar me met haar
wijsvinger. 'En nu geen slimme opmerkingen maken. Ik vind het
vreselijk dat mijn leven klinkt als zo'n waardeloze tv-film met een
boodschap, over een kind in de problemen.'

Ze legde haar handen op het bureau. Haar stem klonk kalm en
vastberaden.

'Als ik mezelf verwijten maak over de stomme dingen die ik heb
gedaan, vergeet ik dat ik sterk genoeg ben geweest om ermee op te
houden. Wat ik nu doe met mijn leven is veel belangrijker dan wat
ik heb gedaan toen ik een dom kind was.'

Ik ging het haar vertellen. Ze zou het begrijpen. Ik wist het zeker.

'Toch heb ik van één ding spijt,' zei Sam.

'Waarvan?'

'Ik wou dat ik het lef had gehad om terug te gaan naar school.
Door de gangen te lopen en in de klas te gaan zitten, met opgeheven hoofd. Ik weet dat ze me buitengesloten zouden hebben.
Ze zouden geroddeld en gescholden hebben. Maar ik had terug
moeten gaan en het moeten incasseren. Ik heb niemand kwaad
gedaan behalve mezelf. Het zou heel anders zijn als ik iemand had
vermoord.'

'Ja,' zei ik. 'Dat is iets heel anders.'

'Sorry hoor, Wade, je begint op mijn zenuwen te werken.'

'Weet je zeker dat je psychiater bent?'

'Ah, eindelijk heb ik je aan het praten. Je hebt een extra af-spraak gemaakt en nu zit je daar al tien minuten als een dooie. Ik ben psychiater, geen gedachtelezer,' zei dokter Martin.

'Moet ik nou lachen?'

'Nee, je moet praten. Wat is er aan de hand?'

Dus vertelde ik hem wat er aan de hand was.

'Hoe lang ken je dat meisje?'

'Sam. Ze heet Sam.'

De dwaas glimlachte en schreef iets op zijn blocnote.

'Wat heeft dat te betekenen?'

'Wat?' vroeg Martin.

'Zit me niet op te fokken. Die glimlach en het geschrijf. Waarom doe je dat?'

'Sam. Je wilt dat ik haar Sam noem. Denk daar eens over na. Denk aan de inrichting en je vrienden in Indiana.'

'Heb je het medicijnkastje geplunderd?'

'Wade, zo stom ben je niet. Je schiet in de weerstand.' Hij bla-derde in mijn dossier. 'Wie was ook alweer dat meisje met wie je in Indiana een paar jaar samen was?'

'Allerleukste.' Ik zakte onderuit op mijn stoel. 'O.'

'Ja, o.'

'Blokhoofd, Nekloos, Jackpot, de Cowboy, de Frons. Ik gebruik niet graag iemands echte naam.'

'Waarom niet, denk je?' vroeg Martin.

Ik dacht na over de Frons. Ik was hem pas dokter Schofield gaan noemen toen ik bijna wegging uit de inrichting.

'Om mensen op afstand te houden.'

'Vijf sterren. Het was wel handig toen je in de inrichting zat, maar dat je het bleef doen toen je naar school ging, bewijst dat je nog niet aan vriendschap toe was. Je had het gevoel dat je geen echte vriendschap verdiende. Onbewust wist je dat je het daar ging verpesten voordat je echt begonnen was.'

'En nu?'

'Ik weet het niet. Wat denk jij?'

'Ik heb de pest aan psychiaters.'

'Pas op, hoor, straks kwets je me nog,' zei Martin terwijl hij een vinger naar me zwaaide. 'Eens even kijken. Hoe lang ken je Sam?'

'Drie maanden, bijna vier.'

'Dus het is geen echte liefde? Het is nog te kort voor een serieuze relatie.'

'Ik heb haar nog niet eens gezoend. Maar ik denk dat het iets kan worden. Iets echts. Iets goeds.'

'Als je nog niet eens weet of jullie een relatie hebben, waarom wil je haar dan alles vertellen?'

Ik trommelde met mijn vingers op de stoelleuning. 'Omdat ze mij vertrouwde. Dan moet ik haar ook vertrouwen.'

'Doe dat dan.'

'Ik vertrouwde haar, tot ze zei dat het iets heel anders zou zijn als ze iemand had vermoord.' Ik streek met mijn handen door mijn haar. 'Haar vader is een evangelische dominee. Misschien vindt ze dat ik straf verdien voor mijn zonden. Oog om oog, tand om tand. Ik herinner me nog die ingezonden brief van een vrouw over God en de Bijbel en zo.'

'Oké... dus je hebt het je vrienden in Indiana verteld omdat je eigenlijk wilde dat ze zich tegen je zouden keren, maar nu ben je bang dat Sam hetzelfde doet als je het haar vertelt, en dat wil je niet.'

Ik knikte.

'Weet je hoe dat heet?'

'Een puinhoop?'

'Vooruitgang, Wade. Doodgewoon vooruitgang.'

De regen trok weg en de hitte haalde de schade in. 's Middags was er geen zuchtje wind, zodat 's ochtends en 's avonds de beste tijd was om te zeilen. Je kon niet lang zeilen, maar het was wel spectaculair met de opkomende en ondergaande zon. Sam in een badpak was ook behoorlijk spectaculair. En voor het eerst in mijn leven werd ik echt bruin.

Aan het eind van de middag, toen er net wat wind begon te komen, hesen we het zeil. We duwden de boot vooruit tot hij dreef, en sprongen erop. Ik zat aan het roer. Er stond nog maar een licht briesje en de boot sneed door de kabbelende golfjes. Het zeilen ging loom en ontspannen, net als Sams glimlach.

Ik ging overstag en voer op mijn dooie gemak langs het strand. Terwijl de zon onderging, kregen we wat meer snelheid.

'Weer diep in gedachten?' vroeg Sam.

'Zo'n beetje,' zei ik. We lagen languit, met een zwemvest onder ons hoofd, en ik stuurde met mijn voeten. Ontspannen zeilen, met kolkende gedachten.

'Bedoelde je echt dat je nergens spijt van hebt? Behalve dat je niet terug bent gegaan naar school? Zou je niet willen dat het allemaal niet was gebeurd?'

Sam trok de fokkenschoot wat aan, met een gezicht alsof mijn vraag haar niets deed. 'Wil je weten of ik me schaam? Natuurlijk. Maar als ik overal spijt van zou hebben… Nou ja, daardoor ben ik toch geworden wie ik nu ben? Als het niet was gebeurd, zou ik misschien zo'n meisje zijn dat nooit diepere gedachten heeft dan… zal ik vandaag glitternagellak opdoen of niet?'

Ze legde haar enkels over elkaar en kromde haar tenen. Ontspande ze. Zuchtte. 'Ik vind het erg dat mijn ouders zich voor me schaamden en teleurgesteld waren, maar ik heb nu wel genoeg…' Ze leek even naar een woord te zoeken. 'Boete gedaan. Ik kan geen spijt hebben van wie ik ben. En dat heb ik ook niet. Natuurlijk zou ik wel willen dat ik mezelf niet zoveel pijn had hoeven doen om dit te bereiken, maar…' Ze glimlachte weer naar me. 'Soms ben ik een beetje traag.'

'En als je wel iemand anders had gekwetst? Als je hem iets heel ergs had aangedaan?'

De glimlach verdween. 'Ik weet het niet. Dat is moeilijk. Ik ben blij dat het niet zo is.' Ze ging rechtop zitten en hield een hand boven haar ogen. 'Hé, we hebben gezelschap.'

Ik kwam overeind en keek in de richting die ze aanwees. Achter de boot zwommen minstens twintig zwarte vinnen.

'Haaien? Die komen bij zonsondergang naar het strand om te eten, hè?'

'Dolfijnen,' zei Sam. Ze glimlachte weer, breed en aanstekelijk. 'Ga iets langzamer varen.'

Ik vierde de schoot.

De dolfijnen haalden ons in. Ze kwamen boven water en keken naar ons met ogen van vochtig obsidiaan. Het water kolkte en schuimde terwijl ze bliezen, rolden en buitelden rond de boot. Twee kleintjes raceten langs de Hobie, kwamen in een boog terug als ze te ver voor raakten, en begonnen dan een nieuwe race.

Toen de dolfijnen dichtbij waren, pakte Sam mijn hand en tikte met de palm op de rug van een dolfijn die de Hobie midscheeps aanraakte. Er ging een rilling door me heen alsof ik een elektrische schok kreeg.

De zon begon zijn tocht terug naar de zee.

Sam liet mijn hand niet los.

Ze leunde naar voren en zoende me op mijn wang, en toen op mijn lippen – zacht, vluchtig, meer een belofte dan een echte zoen.

Dit wilde ik. Ik wilde haar. Maar ik moest haar eerst verdienen.

'We moeten terug,' zei ik. De wind was opgestoken en het leek of de boot op zijn roeren draaide, het grootzeil kwam over en bolde met een klap. De dolfijnen keerden ook, kwamen mee, zwommen vooruit en duwden met hun snuit tegen de zijkanten.

Een van de kleintjes stak telkens zijn kop boven water en riep.

'Wat zegt hij?'

'Hij vindt dat mijn vriend er raar uitziet,' zei Sam.

Mijn vriend.

Ik kon haar niet aankijken.

'Daar is het huis. Ik ga naar het strand.' Ik trok het roer naar me toe en de boot scheerde over de golven die er nu weer waren.

De hele groep dolfijnen kwam mee, surfend op de golven. Vijfhonderd meter van de kust vandaan gingen ze niet verder, maar bleven rondjes zwemmen. Alleen de twee kleintjes surften nog naast de Hobie, in het ondiepe water. Een grote dolfijn stak zijn staart uit het water en liet hem met een klap op het oppervlak neerkomen, zodat de kleintjes stopten en achterom keken. Daarna zwommen ze met tegenzin terug.

Toen we op het strand waren, draaide Sam zich naar me toe. 'Spoel de boot zelf maar schoon, en je mag hem opruimen ook. Hij is van jou. Ik vaar er niet meer mee.'

'Wat is er?'

'Dat weet je best. Je deinsde terug toen ik je zoende. En toen ik je mijn vriend noemde, racete je naar huis alsof de duivel je achternazat. Je hoeft me niet met de mast op mijn hoofd te slaan voor ik het doorheb.'

'Sam, ik begrijp het niet, echt niet...' Maar opeens begreep ik het wel. Ze dacht dat ik haar afwees. Dat ik alleen bevriend wilde zijn met haar, maar geen relatie wilde, omdat... Wat kon ze anders denken? Ze kende mijn geheim niet. Ze wist niet eens dat ik een geheim *had*.

'Ik dacht dat je het begreep,' zei Sam.

'Dat is ook zo. Sam, je begrijpt het niet. Ik...'

'Je zei dat je me niet veroordeelde.' Ze deed een stap achteruit en draaide me haar rug toe.

'Sam, alsjeblieft, ren nou niet weer weg.'

Ze rende niet. Ze liep.

Maar wel weg.

'Ik wil het Sam vertellen.'

Mijn vader keek geschokt op van zijn avondeten. 'Nee,' zei hij.

Alleen een botte weigering? Geen gesprek, geen... liefde en begrip?

'Het moet.'

'Het moet helemaal niet.' Mijn vader legde zijn vork met een klap op tafel. De borden en glazen rinkelden. We schrokken er allemaal van, mijn vader zelf ook. Hij haalde diep adem. 'Waarom wil je jezelf weer onderuithalen? Nu al?' Hij verborg even zijn gezicht in zijn handen. Toen keek hij weer op. 'Je weet wat er dan gebeurt, Wade.'

Ik keek opzij naar Carrie. Haar gezicht was bleek.

Ik duwde mijn bord weg en probeerde te bedenken hoe ik het mijn vader kon uitleggen. 'In Indiana heb ik te lang gewacht. Dat was de fout. En de manier waarop ik het deed was ook fout. Ik moet Sam iets over mezelf vertellen voordat het veel verder gaat met ons.'

'Hoeveel moet je haar vertellen?' vroeg mijn vader.

'Alles,' zei Carrie. 'Hoe kan hij nou een deel vertellen?'

'Weet je het zeker?' vroeg mijn vader.

'Verkeerde vraag,' zei Carrie. 'De goede vraag is: waaróm wil je het haar vertellen?'

Ik draaide me naar haar toe. ' Om dezelfde reden als pa het aan jou heeft verteld.'

'Wade...'

'Pa, ik zal er eerst met dokter Martin over praten. Daarna schrijf ik alles op. Het hele verhaal. Dan kan Sam het lezen. Als ze mij, en wat ik heb gedaan en wie ik ben, niet kan accepteren... oké, dan laat ik haar met rust. Ik zal haar vragen om het geheim te houden. Ik denk dat ze door het hele verhaal zal begrijpen hoe erg het anders voor jullie is.'

Ik keek Carrie aan. 'Ik vertrouw erop dat ze dat doet. Jij niet?' Carrie ging achteruit zitten. 'Misschien. Maar het is veel gevraagd.' Ze kreeg tranen in haar ogen. 'Ik weet wat je wilt. Maar we zijn hier zo gelukkig. Ik wil niet weg, Wade. Dat moet je begrijpen.'

Ik had het gevoel dat ik op één been stond.

'Ik weiger Carrie te dwingen om hier weg te gaan,' zei mijn vader. Zijn gezicht was nu ook bleek weggetrokken. 'Je moet dit alleen doen. Misschien kun je naar een kostschool of zo. Ik kan niet...' Zijn stem sloeg over. 'Het spijt me, Wade. Ik kan het niet nog eens doen.'

Daar ging mijn andere been. Voor het eerst was ik helemaal op mezelf aangewezen.

'Het hoeft niet,' zei ik. 'Als het misgaat, ga ik weg. Dat is niet meer dan eerlijk. Maar ik moet het doen.'

'Moet je dit doen?' vroeg dokter Martin.

Ik knikte.

'Niet om jezelf te straffen, ervan langs te geven, en dat soort shit?'

'Nee. En weet je wat ik heb ontdekt?'

'Hè, nee toch?' Dokter Martin leunde achterover. 'Dit betekent dat ik minder ga verdienen of erachter kom dat ik een waardeloze psychiater ben.'

'Je *bent* een waardeloze psychiater. Psychiaters mogen niet praten. Ze stellen alleen vragen zoals: "En hoe voel je je nou?"'

'En hoe voel je je als een psychiater dat doet?'

Ik rolde met mijn ogen. 'Wil je niet weten wat ik heb ontdekt?'

Hij spreidde zijn handen. 'Zeg het maar.'

'Ik moet ermee leven.'

'Is dat alles?'

'Het is anders nogal diep,' zei ik.

Dokter Martin zei niets. Hij wuifde dat ik verder moest gaan. 'Ik wacht nog op iets bijzonders.'

'Ik heb gehoopt dat ik zou *vergeten* dat ik Bobby Clarke heb vermoord. Of het mezelf zou vergeven. Maar dat zal nooit gebeuren. Ondertussen heb ik niet geleefd. Ik heb... afgewacht, de tijd doorgebracht.'

Ik leunde naar voren. 'Ik heb nu begrepen dat ik het niet kan vergeten. En ik kan het mezelf ook niet echt vergeven. Maar ik kan leven. Ermee *leven*. Zoals je leeft met een litteken, een mank been of zo. Je weet altijd dat het er is. Het herinnert je eraan dat je nooit meer zoiets doms en vreselijks en verkeerds mag doen. Ik stap uit mijn tredmolen, zet nog een stap, en blijf lopen.

Ik *leef* ermee.'

Ik typ belabberd en bovendien vond ik dit te persoonlijk om te printen. Daarom kocht ik tien van die gelinieerde schriften met een zwart-wit gemarmerde buitenkant. Toen begon ik te schrijven.

Af en toe stelde ik Carrie of mijn vader een vraag. Ik belde naar de inrichting in Anchorage en zorgde ervoor dat ik de data goed had. 's Nachts huilde ik vaak. Vooral toen mijn vader en ik over mijn moeder praatten.

'Ik heb haar dagboek gevonden toen ik acht was. Ik begreep het niet allemaal. Maar ze had het verstopt, dus liet ik het niet aan jou zien.'

'Ik heb het na haar dood gevonden,' zei mijn vader. 'Het bewees wat ik altijd al had vermoed. Ze ontdekte een knobbel in haar borst en deed er niets aan tot het te laat was.'

'Is ze gestorven omdat ze wilde dat ik in Alaska zou opgroeien?'

Mijn vader keek of hij zijn vinger in een stopcontact had gestoken.

'Denk je dat? Heb je dat al die jaren met je meegedragen?' Hij stond op en liep heen en weer. Ging zitten. Stond weer op. 'Mijn God, komt er dan nooit een eind aan de ellende?'

'Ik word moe van al dat geloop van jullie,' bemoeide Carrie zich ermee. 'Ga *zitten* en praat met Wade, Jack. Hoe kan hij nou naar je luisteren als je rondjes loopt?'

Mijn vader ging naast Carrie op de bank zitten, tegenover mij. 'Het is veel ingewikkelder dan dat je moeder wilde dat je in Alaska zou opgroeien. Het is al eerder begonnen. De ouders van je moeder vonden me een idioot omdat ik mijn baan opzei en je moeder en jou meenam om van de lucht te leven in de wildernis. Jemma was de enige met wie je moeder na de verhuizing nog praatte, en ze maakten vooral ruzie. Ze probeerde altijd je moeder "wat gezond verstand bij te brengen".'

Carrie pakte een van zijn handen vast. Hij sloot even zijn ogen en toen keek hij Carrie aan. Ze hadden geen geheimen voor elkaar. Ze voedden elkaar met de lange lepels.

Hoe kon ik het risico lopen de wereld weer tegen hen op te zetten?

Maar hoe kon ik ooit krijgen wat zij hadden als ik mijn hele leven bleef liegen?

De stem van mijn vader onderbrak mijn gedachten. 'Misschien had Jemma gelijk. Je moeder was niet geschikt voor zo'n hard, eenzaam leven. Maar ik was te egoïstisch om dat te begrijpen. We maakten overal ruzie over *behalve* over Alaska. Toen je moeder die knobbel ontdekte, wist ze dat ik haar mee terug zou nemen naar Seattle, om haar te laten behandelen. Maar ze zei niets. Niet tegen mij, en niet tegen Jemma.'

'Ik weet het. Ik heb haar dagboek gelezen,' zei ik.

'Begreep je wat er zou kunnen gebeuren als je het dagboek niet aan je vader liet zien?' vroeg Carrie aan mij.

'Nee,' antwoordde ik bijna fluisterend.

'Natuurlijk niet. Als je had begrepen dat ze zou sterven, zou je het dan aan je vader hebben verteld en weggegaan zijn uit Alaska om je moeders leven te redden?'

'Ja natuurlijk, maar...'

'Er is geen *maar*,' zei Carrie. 'Je zat in een val en wist niet eens hoe je daarin terechtgekomen was.'

'Carrie heeft gelijk,' zei mijn vader. 'Uiteindelijk merkte ik dat je moeder enorm was afgevallen. Ik ging met haar naar het ziekenhuis, maar de kanker had zich al uitgezaaid. De dokter gaf haar hooguit zes maanden.'

'Ik herinner me nog dat we naar het ziekenhuis in Fairbanks gingen. Ik vond het heel wat, omdat we in een hotel sliepen. En op de terugweg vertelden mamma en jij dat ze ziek was.' Ik zweeg even. 'In mijn herinnering is ze daarna meer dan zes maanden ziek geweest.'

'Ze stierf nog geen drie maanden later. Maar dat voelde lang aan voor jou,' zei mijn vader.

'Ik begrijp het nog steeds niet,' zei ik. 'Waarom wilde ze liever sterven dan weggaan uit Alaska?'

Mijn vader zuchtte. 'Ze wilde dat we zouden wonen waar ik gelukkig was. Waar jij niet te maken kreeg met criminaliteit en kon genieten van de laatste wildernis. Maar het was ook koppigheid, Wade. Ze wilde niet dat haar ouders gelijk kregen. Dan ging ze nog liever dood. En dat gebeurde.'

Zijn stem haperde. 'Ik ben heel lang boos op haar geweest. Ze had zichzelf kunnen redden. Ik had het gevoel dat ze ons bedrogen had.'

'Ik was ook boos op haar. Heel lang. Maar uiteindelijk kwam ik er overheen.'

'Wanneer?'

'Toen ik begreep dat Carrie van me hield. Toen heb ik mamma vergeven dat ze is gestorven.'

'Net als ik,' zei mijn vader.

Die avond hadden mijn vader en ik een heleboel koffie en tissues nodig. En Carrie trouwens ook. Maar ik vocht me door en over de grote golven. Ik had wind tegen en kwam met een harde klap neer, maar het water aan de andere kant was vlakker.

De avond dat ik klaar was met schrijven, klonk er trage, rollende donder en het regende aan één stuk door. Ik wikkelde de schriften in mijn poncho en liep in een korte broek en een T-shirt naar Sams huis. Ik liet me kletsnat regenen alsof ik onder de douche stond. Ik deed mijn mond open en dronk. Het water was schoon, warm en nieuw.

Ik klopte aan, gaf Sam de schriften, vroeg haar om ze te lezen en ging weg.

Ik was klaar.

Ik was begonnen.

Wat zou er nu gebeuren?

Ik stond op het strand bij de zee en liet de golfjes aan mijn voeten snuffelen. Het maakte niet uit. Ik zou...

Ermee leven.

29

Ik klapte het laatste schrift dicht en pakte mijn laptop. Zocht in de archieven. De Fairbanks Daily News-Miner. *Een eerste artikel over twee kinderen en een brand. Allebei in het ziekenhuis. Geen namen tot er meer bekend is. Tweede artikel. Eén jongen ernstig verbrand. Een andere jongen catatonisch, maar niet gewond. De vader van deze jongen behandeld voor brandwonden aan handen en armen. Derde artikel. De verbrande jongen heet Bobby Clarke. Hij is overleden aan zijn brandwonden. De naam van de andere jongen mag niet genoemd worden. De politie denkt dat hij benzine over Bobby heeft gegoten en hem heeft aangestoken. Zijn vader heeft geprobeerd Bobby te redden. De dader reageert nog steeds nergens op.*

En dan een artikel met een foto van een afgebrand houten huis. RECHT IN EIGEN HAND? *was de kop erbij.*

Ik ging verder naar de redactionele commentaren toen Wade/ Kip werd opgenomen in een psychiatrische inrichting voor jonge delinquenten. Het grootste deel van Alaska was woedend.

Hier schoot ik niets mee op. Ik wist het allemaal. Nou ja, het bewees in elk geval dat Wade de waarheid vertelde.

Hoeveel risico wilde ik nemen? Kon ik dit doen? Ik googelde een naam. Ja, ze woonden daar nog. Ik toetste het telefoonnummer in op mijn mobieltje, aarzelde en belde op.

'Ja, hallo.'

Een vrouw.

'Hallo,' *zei ik. Ik had moeten bedenken wat ik ging zeggen.* 'Ik... uh... bent u de moeder van... Bobby Clarke?'

'Wie ben je?' *Haar stem sloeg over en klonk onmiddellijk woedend en verdrietig.*

'U kent me niet, maar ik... wat ik zou willen weten is... wat kunt u me vertellen over Kip McFarland?'

Er viel een stilte. Ik hoorde haar niet eens ademen. Maar voordat ze iets zei, voelde ik het al – de haat had geen moeite om de duizenden kilometers naar mijn oor te overbruggen.

'Hij is een gemene schoft die mijn lieve jochie heeft verbrand. En hij is er niet voor gestraft. Hij leeft ergens anders, alsof hij niets gedaan heeft.'

Het verdriet won het nu van de haat, geloof ik. Ze maakte hikkende geluiden. Ik begreep dat het snikken waren die ze probeerde in te houden. Ze jammerde bijna toen ze zei: 'Hij heeft niet eens in de gevangenis gezeten. Alsof de dood van mijn zoontje niet belangrijk was...'

Ze haalde snel en diep adem, en vond de haat die ze nodig had om verder te praten. 'Hij deed of hij gek was. Stapelgek. Vier jaar lang. Vier jaar hebben ze hem vertroeteld in een ziekenhuis, en toen hebben ze hem een nieuwe naam gegeven, en een gratis vliegreis naar ik weet niet waar. Hij heeft weer een gewoon leven, terwijl mijn zoontje drie dagen heeft geschreeuwd van de pijn en toen is gestorven.'

Die vreselijke hikkende geluiden begonnen weer. Ik wachtte.

'Kan het geen ongeluk zijn geweest?'

'Een ongeluk?' Ze klonk nu zacht, samenzweerderig. 'Die jongen was slecht, door en door slecht. Zijn vader ook. Hij liet zijn vrouw liever sterven dan met haar naar de dokter te gaan voor haar kanker. Als de doodstraf hier nog bestond, stonden die twee voor mij boven aan de lijst.'

Weer een stilte. Geen gesnik. Ik wilde nog steeds weten hoe Wade was voordat...

Met een scherpe stem onderbrak ze mijn gedachten: 'Je hebt niet gezegd wie je bent en waarom je dat wilt weten over Kip McFarland. Weet je waar ze zijn? Nou? Mijn man en ik zijn niet de enigen die nog steeds vinden dat we het recht dan maar in eigen hand moeten nemen. Vanwaar bel je?'

Ik verbrak snel de verbinding.

Mijn God. Wade en zijn familie werden nog steeds gezocht. Het gevaar kwam niet alleen van binnenuit, maar ook van buitenaf.

Ik googelde op een ander onderwerp. Kinderen die een moord plegen. Waarom doen ze dat? En hoe groot is de kans dat ze het nog eens doen? Waar hangt dat vanaf?

Eén ding leek het belangrijkst: het geweten. Heeft de moordenaar een geweten? Voelt hij wroeging?

Is wroeging hetzelfde als schaamte? Ik schaam me, maar ik voel niet echt wroeging. Betekent wroeging dat je jezelf niet vergeeft? Ik had veel tegen Wade gezegd over aanvaarding. Dat ik geen spijt had van mijn fouten.

Maar is het waar? Als dat zo is, zou ik weer naar de kerk zijn gegaan. En terug naar school. Ik zou geen kluizenaar zijn op het strand. Ik zou er niet diep vanbinnen, waar ik niet durf te kijken, van overtuigd zijn dat mijn ouders zich voor me schamen. Die kalmte van me is het masker dat ik draag.

Draagt Wade een masker? Komt er een moment dat hij weer iemand in brand steekt? Nee, dat weet ik heel zeker. Zijn leven wordt beheerst door wroeging. Komt er een moment dat ik weer ga drinken? Ik verlang er nu naar. Wie van ons tweeën zal zich dan eerder gewonnen geven aan zijn demonen?

Ik voelde me veilig bij Wade. Aanvaard. Ik dacht dat ik met zijn hulp kon afrekenen met de dingen die ik zo diep had weggestopt. Maar als ik Wade aanvaard, zeg ik dan dat ik niet beter verdien dan een moordenaar? Iemand die jarenlang opgesloten heeft gezeten? Ik heb alleen mezelf gekwetst, maar hij heeft een kind gedood.

Alleen mezelf gekwetst? Onzin. Kijk maar naar mijn ouders.

Maar als ik voor Wade kies, klamp ik me dan vast aan een andere gewonde? Zijn we twee gebroken mensen die hopen samen heel te worden? Belemmert het ons niet juist om ooit nog sterk genoeg te zijn in ons eentje?

Hij heeft een kind gedood.

Ik ben niet sterk genoeg om samen te zijn met iemand die zoiets vreselijks moet verwerken.

Hij heeft een kind gedood.

Maar hij was zelf een kind toen hij een kind doodde.

Misschien kunnen alleen twee mensen die zichzelf zo ontzettend beschadigd hebben elkaar helpen?

Hij heeft een kind in brand gestoken, een KIND.

Als ik naast hem loop, kunnen de mensen niet met één vinger naar ons wijzen – we zouden niet weten naar wie van ons tweeën ze wijzen. Ze krijgen er twee voor de prijs van één. Moet ik me daaraan blootstellen?

Ik kon niet denken. Ik kon niet ophouden met huilen.

Ik zette de computer uit, legde de schriften op een stapeltje en schoof ze onder het bed.

Vrijdagmiddag ging ik zeilen. Alleen. Zonder Sam. De dolfijnen kwamen me ook geen gezelschap houden. Ik had vijf dagen niets van Sam gehoord. Ik probeerde niet aan haar te denken terwijl *Elton* voortgleed op een zacht zeebriesje. Ze had mijn verhaal nu vast wel gelezen. Maar ik had haar niet meer gezien. Haar auto stond al die tijd op hun oprit. Ze maakte het heel duidelijk dat ze niets meer met me te maken wilde hebben. Maar mijn vader en Carrie kregen geen klachten op hun werk. Er waren geen verontwaardigde krantenkoppen, gemene telefoontjes, of haatmails. Sam zou hun veiligheid niet in gevaar brengen. Toch was dit de laatste keer dat ik zeilde.

Toen de zon de horizon raakte, voer ik naar het strand. De golfjes waren blauwgroen als de schubben van een zeemeermin. Ik streek de zeilen en bracht ze naar de loods. Morgen zou ik ze wel wassen, misschien voor ik wegging. Ik had al een buskaartje naar Dallas. Ik wilde nooit meer water zien. Mijn vader zei dat hij me zou helpen een appartement te zoeken. Ik kon mijn eindexamen halen en dan naar een hogeschool gaan. Het zou wel goed komen. In de loods pakte ik mijn mobieltje.

Ik liep terug naar de boot en bleef ernaast staan. De stagen sloegen tegen de mast. De zon was onder.

Mijn telefoon ging.

Mijn adem stokte.

Hij ging weer.

Ik pakte hem.

Klapte hem open.

Sam.

Ik drukte op de toets.

Ik zei niets. Ik kon het niet.

'Ik ben hier,' zei ze. 'Ik sta achter je.'